Angela Rama
Mestre em Geografia pela Universidade de São Paulo (USP)
Bacharel e licenciada em Geografia pela Universidade de São Paulo (USP)
Professora das redes particular e pública de ensino

Marcelo Moraes Paula
Bacharel e licenciado em Geografia pela Universidade de São Paulo (USP)
Professor das redes particular e pública de ensino

Ligados.com Geografia – 2º ano (Ensino Fundamental – Anos iniciais)
© Angela Rama, Marcelo Moraes Paula, 2015

Direitos desta edição:
Saraiva S.A. – Livreiros Editores, São Paulo, 2015
Todos os direitos reservados

Dados Internacionais de Catalogação na Publicação (CIP)
(Câmara Brasileira do Livro, SP, Brasil)

Rama, Angela
Ligados.com : geografia, 2º ano / Angela Rama, Marcelo Moraes Paula. – 2. ed. – São Paulo : Saraiva, 2015.

Suplementado pelo manual do professor.
Bibliografia
ISBN 978-85-02-63007-9 (aluno)
ISBN 978-85-02-63011-6 (professor)

1. Geografia (Ensino fundamental)
I. Paula, Marcelo Moraes. II. Título.

15-02548 CDD-372.891

Índices para catálogo sistemático:
1. Geografia : Ensino fundamental 372.891

Gerente editorial	M. Esther Nejm
Editor responsável	Luciana Leopoldino
Editor	Érica Lamas
Coordenador de revisão	Camila Christi Gazzani
Revisores	Lilian Miyoko Kumai, Maura Loria, Sueli Bossi
Coordenador de iconografia	Cristina Akisino
Pesquisa iconográfica	Thiago Fontana
Gerente de artes	Ricardo Borges
Coordenador de artes	Aderson Oliveira
Design	Homem de Melo & Troia Design
Capa	Luis Vassalo com imagem de Alessandra Tozi
Diagramação	Benedito Reis, Edilson Pauliuk, Elis Regina, Josiane Batista de Oliveira, Lisandro Paim Cardoso, Simone Zupardo
Cartografia	Sonia Vaz
Ilustrações	Biry Sarkis, Dawidson França, Edde Wagner, Estúdio Chanceler, Hagaquezart estúdio, Ilustra Cartoon, Leo Texeira, Luis Matuto, Luiz Fernando Rubio, Marcio Luiz de Castro, Nid Artes, Paulo Manzi, PriWi, Wilson Jorge Filho
Produtor gráfico	Thais Mendes Petruci Galvão
Impressão e acabamento	Brasilform Editora e Ind. Gráfica

073779.002.004

O material de publicidade e propaganda reproduzido nesta obra está sendo utilizado apenas para fins didáticos, não representando qualquer tipo de recomendação de produtos ou empresas por parte do(s) autor(es) e da editora.

SAC | 0800-0117875
De 2ª a 6ª, das 8h30 às 19h30
www.editorasaraiva.com.br/contato

Avenida das Nações Unidas, 7221 – 1º Andar – Setor C – Pinheiros – CEP 05425-902

CONHEÇA O SEU LIVRO

UNIDADE

SEU LIVRO TEM OITO UNIDADES. AS PÁGINAS DE ABERTURA INTRODUZEM O TRABALHO QUE SERÁ DESENVOLVIDO EM CADA UNIDADE. NELAS, VOCÊ É CONVIDADO A OBSERVAR OS ELEMENTOS DA IMAGEM E RELACIONÁ-LOS COM SEUS CONHECIMENTOS SOBRE O TEMA OU COM SEU DIA A DIA.

UNIDADE 4

A SALA DE AULA

CONVERSE COM OS COLEGAS E COM O PROFESSOR SOBRE AS PERGUNTAS.

1. O QUE OS ALUNOS DA ILUSTRAÇÃO ESTÃO FAZENDO NA SALA DE AULA? VOCÊ E OS COLEGAS JÁ FIZERAM ESSE TIPO DE ATIVIDADE?
2. QUE OUTRAS ATIVIDADES SÃO FEITAS EM UMA SALA DE AULA?
3. ESSA SALA DE AULA É PARECIDA COM A SUA?

CAPÍTULO

CADA UNIDADE APRESENTA DOIS CAPÍTULOS QUE EXPLORAM E DESENVOLVEM OS CONTEÚDOS E CONCEITOS ESTUDADOS. CADA CAPÍTULO É COMPOSTO DE SEÇÕES, NAS QUAIS VOCÊ DESENVOLVE ATIVIDADES VARIADAS, ESCRITAS E ORAIS, INDIVIDUAIS, EM DUPLA OU EM GRUPO.

MUITOS TEMAS COMEÇAM COM QUESTÕES PARA QUE VOCÊ TENHA OPORTUNIDADE DE PENSAR SOBRE O ASSUNTO QUE SERÁ TRATADO E TROCAR IDEIAS COM SEUS COLEGAS A RESPEITO DELE.

Capítulo 1

Trajetos

O que você observa no caminho da sua casa até a escola? ORAL

Observe o desenho que Rafaela fez do trajeto da casa dela até a escola.

Trajeto: caminho ou percurso que fazemos para chegar a um lugar.

Rafaela indicou alguns locais por onde ela passa para ir da casa dela até a escola. Esses locais, como já vimos, são pontos de referência que facilitam a localização e ajudam a encontrar caminhos.

1. Circule, no desenho de Rafaela, os pontos de referência que ela pode indicar no caminho de casa até a escola.
2. Em uma folha à parte, desenhe o trajeto que você faz para ir da sua sala de aula até uma das dependências da escola listadas.
   a) Banheiro
   b) Refeitório
   c) Quadra de esportes
   d) Sala dos professores

86

Trajeto casa-escola

Vamos desenhar o trajeto casa-escola?

3. Tente lembrar por onde você passa e o que você vê no trajeto, como casas, árvores, ponte, rio, comércio.

4. Escreva no caderno os locais por onde você passa e os pontos de referência, como farmácia, escola, praça, entre outros.
5. Em uma folha à parte e com as informações anotadas na atividade 4, desenhe o trajeto casa-escola. Identifique os locais e os pontos de referência por onde você passa. Utilize setas para indicar o caminho que você faz.

Depois apresente seu desenho aos colegas, explicando o trajeto que você percorre de casa até a escola.

87

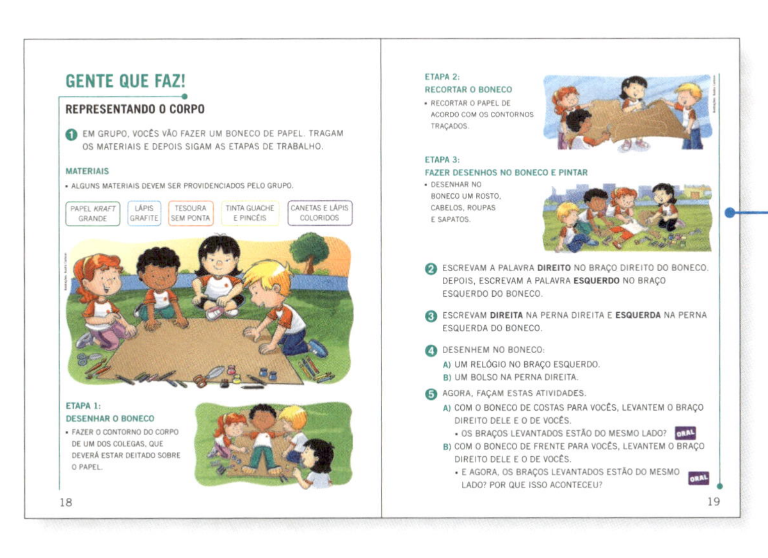

GENTE QUE FAZ!

REPRESENTANDO O CORPO

1. EM GRUPO, VOCÊS VÃO FAZER UM BONECO DE PAPEL. TRAGAM OS MATERIAIS E DEPOIS SIGAM AS ETAPAS DE TRABALHO.

MATERIAIS

- ALGUNS MATERIAIS DEVEM SER PROVIDENCIADOS PELO GRUPO.

PAPEL *KRAFT* GRANDE | LÁPIS GRAFITE | TESOURA SEM PONTA | TINTA GUACHE E PINCÉIS | CANETAS E LÁPIS COLORIDOS

ETAPA 1:
DESENHAR O BONECO
- FAZER O CONTORNO DO CORPO DE UM DOS COLEGAS, QUE DEVERÁ ESTAR DEITADO SOBRE O PAPEL.

18

ETAPA 2:
RECORTAR O BONECO
- RECORTAR O PAPEL DE ACORDO COM OS CONTORNOS TRAÇADOS.

ETAPA 3:
FAZER DESENHOS NO BONECO E PINTAR
- DESENHAR NO BONECO UM ROSTO, CABELOS, ROUPAS E SAPATOS.

2. ESCREVAM A PALAVRA **DIREITO** NO BRAÇO DIREITO DO BONECO. DEPOIS, ESCREVAM A PALAVRA **ESQUERDO** NO BRAÇO ESQUERDO DO BONECO.
3. ESCREVAM **DIREITA** NA PERNA DIREITA E **ESQUERDA** NA PERNA ESQUERDA DO BONECO.
4. DESENHEM NO BONECO:
   A) UM RELÓGIO NO BRAÇO ESQUERDO.
   B) UM BOLSO NA PERNA DIREITA.
5. AGORA, FAÇAM ESTAS ATIVIDADES.
   A) COM O BONECO DE COSTAS PARA VOCÊS, LEVANTEM O BRAÇO DIREITO DELE E O DE VOCÊS.
   - OS BRAÇOS LEVANTADOS ESTÃO DO MESMO LADO? ORAL
   B) COM O BONECO DE FRENTE PARA VOCÊS, LEVANTEM O BRAÇO DIREITO DELE E O DE VOCÊS.
   - E AGORA, OS BRAÇOS LEVANTADOS ESTÃO DO MESMO LADO? POR QUE ISSO ACONTECEU? ORAL

19

GENTE QUE FAZ!

NESTA SEÇÃO, VOCÊ EXERCITA SUA CRIATIVIDADE E HABILIDADE, INDIVIDUALMENTE OU EM GRUPO, AO REALIZAR ATIVIDADES DE CARTOGRAFIA, PRODUÇÃO DE TEXTOS, MURAIS E PESQUISAS.

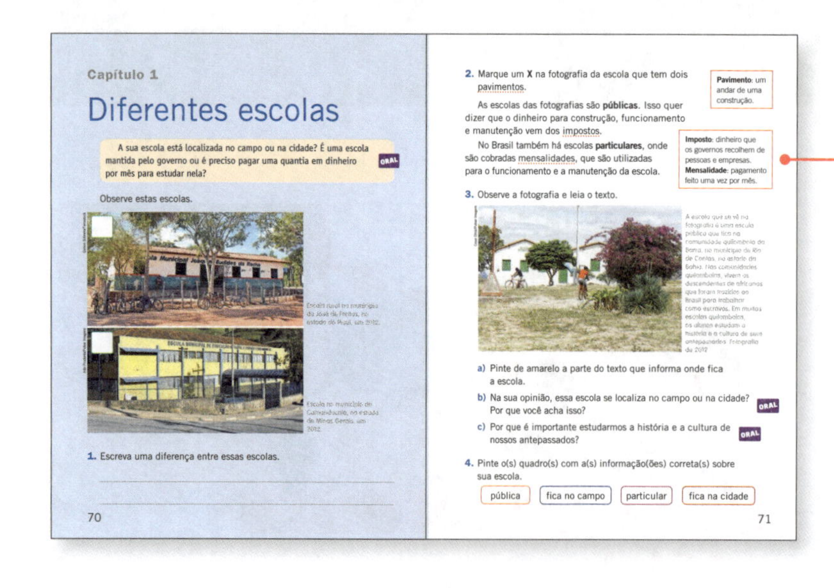
Capítulo 1

Diferentes escolas

A sua escola está localizada no campo ou na cidade? É uma escola mantida pelo governo ou é preciso pagar uma quantia em dinheiro por mês para estudar nela? ORAL

Observe estas escolas.

1. Escreva uma diferença entre essas escolas.

70

2. Marque um X na fotografia da escola que tem dois pavimentos.

As escolas das fotografias são **públicas**. Isso quer dizer que o dinheiro para construção, funcionamento e manutenção vem dos impostos.

No Brasil também há escolas **particulares**, onde são cobradas mensalidades, que são utilizadas para o funcionamento e a manutenção da escola.

Pavimento: um andar de uma construção.

Imposto: dinheiro que os governos recolhem de pessoas e empresas.
Mensalidade: pagamento feito uma vez por mês.

3. Observe a fotografia e leia o texto.

a) Pinte de amarelo a parte do texto que informa onde fica a escola.

b) Na sua opinião, essa escola se localiza no campo ou na cidade? Por que você acha isso? ORAL

c) Por que é importante estudarmos a história e a cultura de nossos antepassados? ORAL

4. Pinte o(s) quadro(s) com a(s) informação(ões) correta(s) sobre sua escola.

pública | fica no campo | particular | fica na cidade

71

GLOSSÁRIO

ALGUMAS EXPRESSÕES OU TERMOS CONSIDERADOS MAIS COMPLEXOS SÃO EXPLICADOS PRÓXIMO DO TEXTO CORRESPONDENTE.

ATIVIDADES

AS ATIVIDADES VÃO AJUDAR VOCÊ A RETOMAR E AMPLIAR OS PRINCIPAIS ASSUNTOS ESTUDADOS NA UNIDADE.

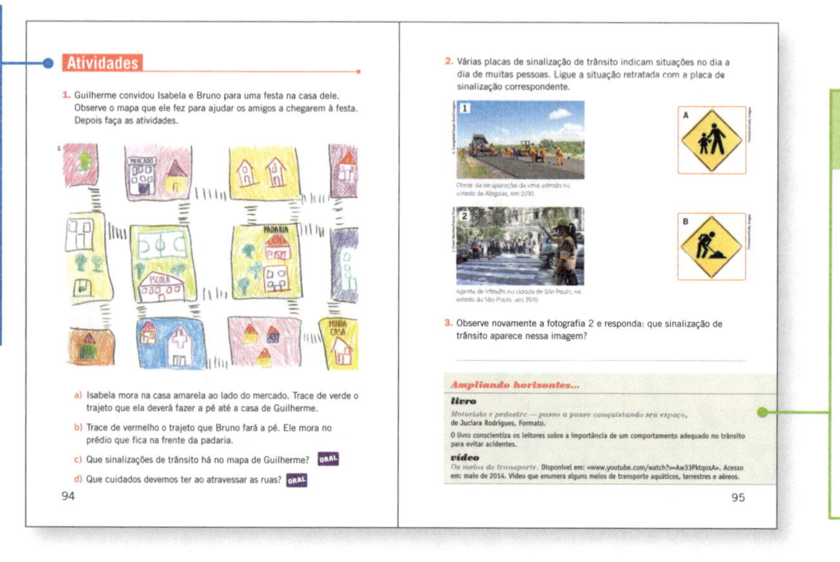
Atividades

1. Guilherme convidou Isabela e Bruno para uma festa na casa dele. Observe o mapa que ele fez para ajudar os amigos a chegarem à festa. Depois faça as atividades.

a) Isabela mora na casa amarela ao lado do mercado. Trace de verde o trajeto que ela deverá fazer a pé até a casa de Guilherme.

b) Trace de vermelho o trajeto que Bruno fará a pé. Ele mora no prédio que fica na frente da padaria.

c) Que sinalizações de trânsito há no mapa de Guilherme? ORAL

d) Que cuidados devemos ter ao atravessar as ruas? ORAL

94

2. Várias placas de sinalização de trânsito indicam situações no dia a dia de muitas pessoas. Ligue a situação retratada com a placa de sinalização correspondente.

3. Observe novamente a fotografia 2 e responda: que sinalização de trânsito aparece nessa imagem?

Ampliando horizontes...

livro

Motorista e pedestre — passo a passo conquistando seu espaço, de Juciara Rodrigues, Formato.

O livro conscientiza os leitores sobre a importância de um comportamento adequado no trânsito para evitar acidentes.

vídeo

Os meios de transporte. Disponível em: <www.youtube.com/watch?v=Aw33PktqosA>. Acesso em: maio de 2014. Vídeo que enumera alguns meios de transporte aquáticos, terrestres e aéreos.

95

AMPLIANDO HORIZONTES...

CADA UNIDADE APRESENTA SUGESTÕES DE LIVROS, REVISTAS, MÚSICAS, FILMES OU *SITES* QUE PERMITEM ENRIQUECER OU AMPLIAR OS ASSUNTOS ABORDADOS.

REDE DE IDEIAS

ESTA SEÇÃO RETOMA CONCEITOS TRABALHADOS NA UNIDADE E OS DESENVOLVE EM CONEXÃO COM OUTRAS ÁREAS DO SABER.

rede de ideias

Brincadeiras de rua

1 O texto trata das brincadeiras da infância do senhor Ricardo Dias, nascido em 1950, em São Paulo. Leia e responda às perguntas.

[...]
Ele jogava futebol, taco, bolas de gude, pião, andava de bicicleta e empinava pipa. Mas gostava mesmo era de brincar de chapa-branca.
"Talvez fosse uma brincadeira só da minha rua. Naquele tempo os veículos particulares tinham a chapa de cor amarela. Nos táxis, lotações e caminhões a placa era marrom."
Mas, afinal, que carro tinha a chapa branca?
"Os veículos oficiais [do governo] e os do serviço público [por exemplo: ambulância, polícia etc.]. [...]"
O jogo era uma versão de duro ou mole.
"Quando brincávamos na rua, se passasse um carro de chapa-branca e alguém gritasse 'chapa-branca!', toda a criançada tinha que ficar paralisada, na posição que estivesse, até que a pessoa que deu a ordem falasse 'Livre!'"
Ricardo diz que a graça da brincadeira estava em olhar as posições de cada um na hora do congelamento. "Hoje seríamos todos atropelados."

124

a) Escreva os nomes das brincadeiras da infância do senhor Ricardo Dias.

b) Nos anos de 1950, as placas dos carros (chapas) diferenciavam-se pelas cores. Ligue a cor da placa (chapa) ao tipo de carro, de acordo com o texto.

Táxis, lotações e caminhões.

Veículos particulares.

Veículos oficiais e do serviço público.

125

QUAL É A PEGADA?

NESTA SEÇÃO, VOCÊ VAI PERCEBER QUE ATITUDES NO DIA A DIA PODEM AJUDAR A PRESERVAR O LUGAR EM QUE VIVEMOS E CONSTRUIR UM FUTURO MELHOR. VOCÊ TAMBÉM VAI REFLETIR SOBRE VALORES E ATITUDES QUE CONTRIBUEM PARA SUA FORMAÇÃO COMO CIDADÃO

QUAL É A PEGADA?
PRESERVAÇÃO
CASA ECOLÓGICA

O CHAMADO "TELHADO VERDE" É COMO SE FOSSE UM JARDIM. ENTRE OUTRAS VANTAGENS, ELE AJUDA A DEIXAR A CASA MAIS FRESCA. MAS É PRECISO TER CUIDADOS NA SUA INSTALAÇÃO E CONSERVAÇÃO, PARA NÃO OCORRER PROBLEMAS COM A CONSTRUÇÃO.

A TINTA É FEITA COM MATERIAIS ENCONTRADOS NA NATUREZA, COMO A TERRA.

A ÁGUA DA CHUVA É ARMAZENADA E, DEPOIS, FILTRADA PARA O USO.

O QUINTAL E OS CANTEIROS SÃO USADOS PARA O CULTIVO DE ALGUMAS PLANTAS E HORTALIÇAS, SEM USO DE VENENOS.

1. DESTAQUE AS LEGENDAS DOS **ADESIVOS** E COLE NO LUGAR CORRESPONDENTE NA CASA.
2. NA SUA OPINIÃO, POR QUE A **CASA ECOLÓGICA** AJUDA NA PRESERVAÇÃO DO MEIO AMBIENTE? ORAL
3. A SUA MORADIA PODE SER CONSIDERADA UMA CASA ECOLÓGICA? POR QUE VOCÊ ACHA ISSO? ORAL
4. CONVERSE COM UM ADULTO QUE MORA COM VOCÊ. PROCURE SABER SE É POSSÍVEL MUDAR ALGO EM SUA MORADIA QUE CONTRIBUA PARA A PRESERVAÇÃO DO MEIO AMBIENTE.

50 51

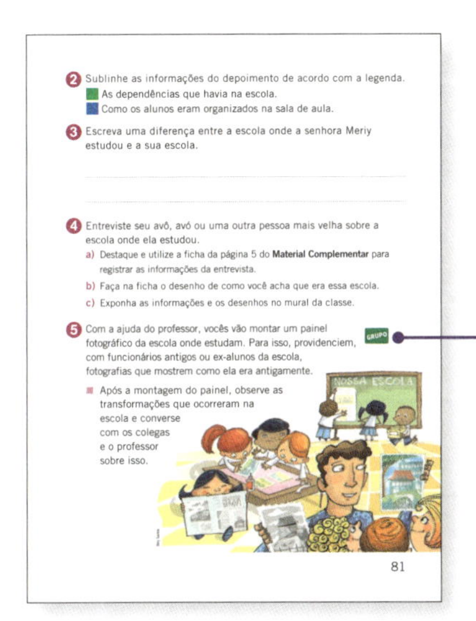
2 Sublinhe as informações do depoimento de acordo com a legenda.
- As dependências que havia na escola.
- Como os alunos eram organizados na sala de aula.

3 Escreva uma diferença entre a escola onde a senhora Meriy estudou e a sua escola.

4 Entreviste seu avô, avó ou uma outra pessoa mais velha sobre a escola onde ela estudou.
a) Destaque e utilize a ficha da página 5 do **Material Complementar** para registrar as informações da entrevista.
b) Faça na ficha o desenho de como você acha que era essa escola.
c) Exponha as informações e os desenhos no mural da classe.

5 Com a ajuda do professor, vocês vão montar um painel fotográfico da escola onde estudam. Para isso, providenciem, com funcionários antigos ou ex-alunos da escola, fotografias que mostrem como ela era antigamente. GRUPO
- Após a montagem do painel, observe as transformações que ocorreram na escola e converse com os colegas e o professor sobre isso.

81

SIGNIFICADO DOS ÍCONES

AO LONGO DO LIVRO VOCÊ VAI SER CONVIDADO A REALIZAR VÁRIAS ATIVIDADES. EM ALGUMAS DELAS, FIQUE ATENTO ÀS ORIENTAÇÕES DADAS POR ESTES ÍCONES:

MATERIAL COMPLEMENTAR E ADESIVOS

O FINAL DO LIVRO TRAZ UM ENCARTE COM FICHAS E IMAGENS PARA SEREM DESTACADAS E UTILIZADAS EM ALGUMAS ATIVIDADES

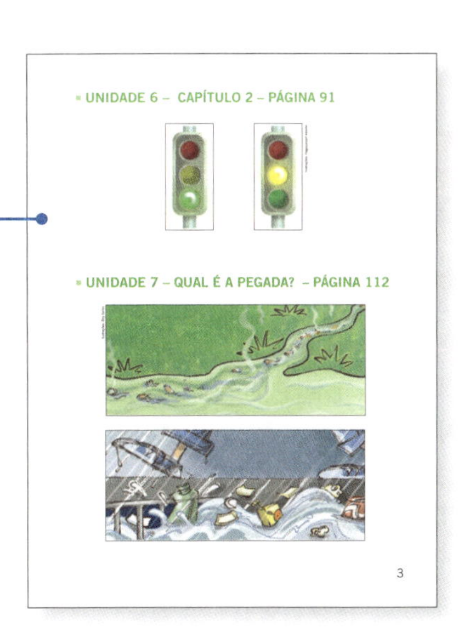
- UNIDADE 6 – CAPÍTULO 2 – PÁGINA 91
- UNIDADE 7 – QUAL É A PEGADA? – PÁGINA 112

3

SUMÁRIO

Ilustrações: PriWi

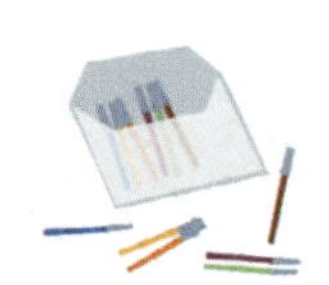

Hagaquezart estúdio

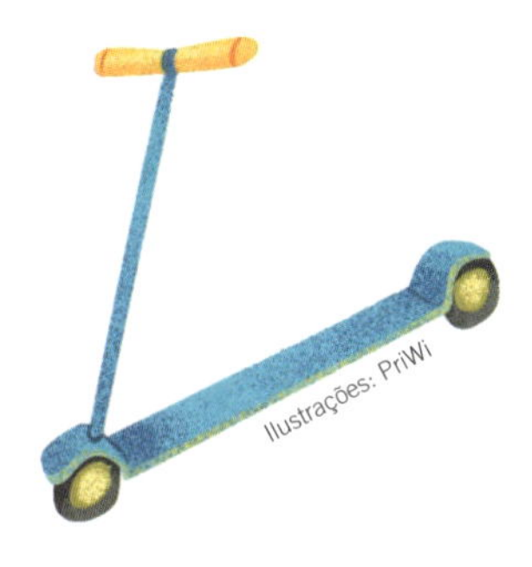
Ilustrações: PriWi

Hagaquezart estúdio

UNIDADE 1

SOU CRIANÇA

Mauricio de Sousa Produções

CONVERSE COM OS COLEGAS E O PROFESSOR SOBRE AS QUESTÕES.

1. VOCÊ CONHECE ESSAS PERSONAGENS? SE SIM, FALE PARA OS COLEGAS OS NOMES DELAS E O QUE CADA UMA ESTÁ FAZENDO.

2. VOCÊ E OS COLEGAS COSTUMAM FAZER AS MESMAS ATIVIDADES QUE AS PERSONAGENS ESTÃO FAZENDO? SE SIM, QUAIS?

3. QUE OUTRAS ATIVIDADES VOCÊS COSTUMAM FAZER?

CAPÍTULO 1

QUEM SOU?

DO QUE VOCÊ GOSTA DE BRINCAR? DE QUE BRINCADEIRAS VOCÊ MAIS GOSTA? QUAIS SÃO AS OUTRAS ATIVIDADES QUE VOCÊ MAIS GOSTA DE FAZER NO SEU DIA A DIA? **ORAL**

KABÁ DAREBU VIVE EM UMA ALDEIA INDÍGENA. VAMOS CONHECER UM POUCO SOBRE ELE?

MEU NOME É KABÁ DAREBU. TENHO 7 ANOS E SOU DO POVO MUNDURUKU. MEU POVO VIVE NA FLORESTA AMAZÔNICA E GOSTA MUITO DE NATUREZA.

[...]

NÓS GOSTAMOS DE BRINCAR DE MUITAS COISAS.

OS MENINOS BRINCAM DE: ARCO E FLECHA, ESCONDER NA MATA ENQUANTO OS OUTROS PROCURAM, PEGA-PEGA DENTRO DO RIO, SUBIR EM ÁRVORES, PESCARIA, IMITAR OS ADULTOS, JOGAR FUTEBOL.

Antonio Carlos Banavita

CRIANÇAS DA ALDEIA MUNDURUKU JUARA BRINCANDO NO RIO ARINOS, NO MUNICÍPIO DE JUARA, NO ESTADO DE MATO GROSSO. FOTOGRAFIA DE NOVEMBRO DE 2013.

AS MENINAS GOSTAM DE: FAZER BONECAS COM ESPIGAS E FOLHAS DE MILHO, FAZER COMIDA, MEXER COM OS MENINOS, CANTAR E DANÇAR CANTIGAS DE RODA, SUBIR EM ÁRVORES, NADAR NO RIO.

TODOS NÓS TEMOS ANIMAIS DE ESTIMAÇÃO COM OS QUAIS A GENTE BRINCA A TODA HORA: CACHORRO, PAPAGAIO, MACACO, TUCANO, CUTIA...

DANIEL MUNDURUKU E MARIE THERESE KOWALCZYK. *KABÁ DAREBU*. SÃO PAULO: BRINQUE-BOOK, 2002 p. 3, 11-12.

1. QUAL É A IDADE DE KABÁ DAREBU?

____

2. COMPLETE O NOME DO POVO DE KABÁ DAREBU COM AS LETRAS QUE FALTAM.

M____N____UR____K____

3. MARQUE COM UM **X** ONDE KABÁ DAREBU MORA.

A) ☐ BAIRRO DE UMA GRANDE CIDADE.

B) ☐ ALDEIA INDÍGENA NA FLORESTA AMAZÔNICA.

4. PINTE, NO TEXTO, OS NOMES DAS BRINCADEIRAS DE QUE AS CRIANÇAS MUNDURUKU BRINCAM.

5. VOCÊ JÁ BRINCOU DE ALGUMAS DESSAS BRINCADEIRAS? **ORAL**

6. ENCONTRE NO DIAGRAMA OS NOMES DOS ANIMAIS COM OS QUAIS AS CRIANÇAS MUNDURUKU BRINCAM.

L	A	T	C	A	C	H	O	R	R	O	I	N	S
S	E	M	A	C	A	C	O	J	U	M	N	T	C
T	E	Z	A	H	L	P	R	C	U	T	I	A	U
O	S	T	U	C	A	N	O	A	B	C	A	E	I
S	A	H	B	C	V	P	A	P	A	G	A	I	O
X	U	D	A	N	O	E	F	A	L	M	N	O	P

VOCÊ E SUAS PREFERÊNCIAS

PARA FALAR DELE MESMO, KABÁ DAREBU NÃO SE ESQUECEU DE DIZER A IDADE, O LUGAR ONDE VIVE E SUAS BRINCADEIRAS PREFERIDAS. ISSO AJUDA A ENTENDER MELHOR COMO É O DIA A DIA DELE.

AGORA, É A SUA VEZ DE FALAR SOBRE VOCÊ E SUAS PREFERÊNCIAS.

7. COMPLETE A FICHA SOBRE VOCÊ.

Fotografias: Thinkstock/Getty Images

NOME: ___________________________

IDADE: ___________________________

BRINCADEIRAS DE QUE GOSTA:

____

____

____

LUGARES ONDE BRINCA:

____

____

____

ANIMAL PREFERIDO:

____

8. AGORA, DESENHE OU FAÇA COLAGENS DE:

- SEU BRINQUEDO PREFERIDO.
- SUA COMIDA PREFERIDA.

DEPOIS, MOSTRE SUAS PREFERÊNCIAS PARA OS COLEGAS E O PROFESSOR.

Ilustrações: PriWi

CAPÍTULO 2

LOCALIZANDO OBJETOS E PESSOAS

OBSERVE A CENA.

1. NA SUA OPINIÃO, LUCAS PEGOU O LIVRO CERTO? 

2. OBSERVE O CONTORNO DE CADA MÃO.

MÃO ESQUERDA

MÃO DIREITA

Fotografias: Fernando Favoretto/Criar Imagem

3. AGORA, FAÇA O MESMO. EM UMA FOLHA À PARTE, DESENHE O CONTORNO DE SUAS MÃOS E IDENTIFIQUE CADA UMA DELAS.

4. PINTE O DESENHO DA MÃO QUE VOCÊ COSTUMA USAR PARA ESCREVER.

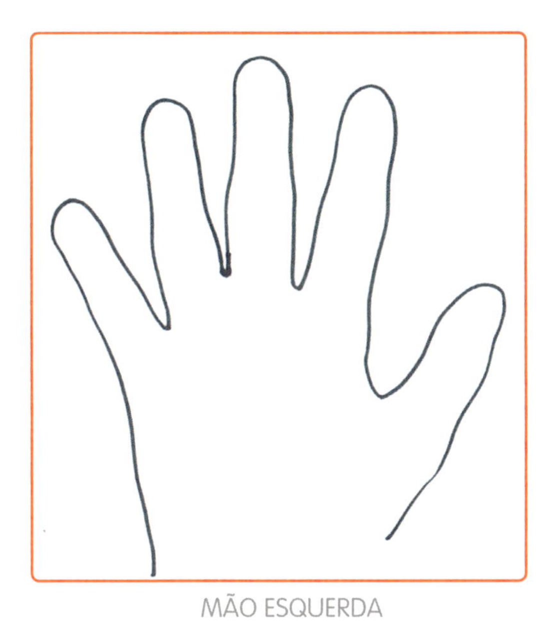

MÃO ESQUERDA

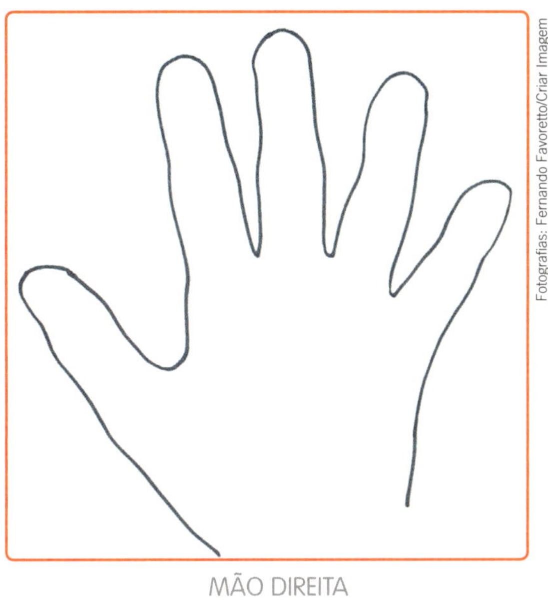

MÃO DIREITA

Fotografias: Fernando Favoretto/Criar Imagem

5. DESENHE O OBJETO OU A PESSOA QUE ESTÁ:

A) À SUA ESQUERDA.

B) À SUA DIREITA.

OBSERVE LUCAS E OS COLEGAS QUE ESTÃO PRÓXIMOS A ELE. DEPOIS, FAÇA AS ATIVIDADES.

6. ESCREVA A LETRA **D** NO BRAÇO DIREITO DE LUCAS E A LETRA **E** NO BRAÇO ESQUERDO.

7. RESPONDA.

A) QUEM ESTÁ NA FRENTE DE LUCAS? ______________________________

B) QUEM ESTÁ À ESQUERDA DE LUCAS? ______________________________

8. AGORA, OBSERVE A LOCALIZAÇÃO DE JORGE E RESPONDA.

- QUEM ESTÁ À DIREITA DE JORGE? ______________________________

9. OBSERVE A POSIÇÃO DE ANA E FAÇA AS ATIVIDADES.

Ilustrações: Paulo Manzi

A) MARQUE COM UM **X** ONDE A LOUSA ESTÁ.

☐ NA FRENTE DE ANA. ☐ ATRÁS DE ANA.

B) CIRCULE O QUE ESTÁ À DIREITA DE ANA.

10. AGORA, ANA ESTÁ EM OUTRA POSIÇÃO. OBSERVE E RESPONDA ÀS QUESTÕES.

A) A LOUSA ESTÁ NA FRENTE OU ATRÁS DE ANA? ______________________

B) QUE OBJETO ESTÁ À DIREITA DE ANA? ______________________

11. POR QUE OS OBJETOS MUDARAM DE POSIÇÃO EM RELAÇÃO A ANA DE UMA CENA PARA OUTRA? CONVERSE SOBRE ISSO COM OS COLEGAS E O PROFESSOR.

GENTE QUE FAZ!

REPRESENTANDO O CORPO

1 EM GRUPO, VOCÊS VÃO FAZER UM BONECO DE PAPEL. TRAGAM OS MATERIAIS E DEPOIS SIGAM AS ETAPAS DE TRABALHO.

MATERIAIS

- ALGUNS MATERIAIS DEVEM SER PROVIDENCIADOS PELO GRUPO.

PAPEL *KRAFT* GRANDE | LÁPIS GRAFITE | TESOURA SEM PONTA | TINTA GUACHE E PINCÉIS | CANETAS E LÁPIS COLORIDOS

Ilustrações: Ilustra Cartoon

ETAPA 1:
DESENHAR O BONECO

- FAZER O CONTORNO DO CORPO DE UM DOS COLEGAS, QUE DEVERÁ ESTAR DEITADO SOBRE O PAPEL.

ETAPA 2:
RECORTAR O BONECO

- RECORTAR O PAPEL DE ACORDO COM OS CONTORNOS TRAÇADOS.

Ilustrações: Ilustra Cartoon

ETAPA 3:
FAZER DESENHOS NO BONECO E PINTAR

- DESENHAR NO BONECO UM ROSTO, CABELOS, ROUPAS E SAPATOS.

2 ESCREVAM A PALAVRA **DIREITO** NO BRAÇO DIREITO DO BONECO. DEPOIS, ESCREVAM A PALAVRA **ESQUERDO** NO BRAÇO ESQUERDO DO BONECO.

3 ESCREVAM **DIREITA** NA PERNA DIREITA E **ESQUERDA** NA PERNA ESQUERDA DO BONECO.

4 DESENHEM NO BONECO:

A) UM RELÓGIO NO BRAÇO ESQUERDO.

B) UM BOLSO NA PERNA DIREITA.

5 AGORA, FAÇAM ESTAS ATIVIDADES.

A) COM O BONECO DE COSTAS PARA VOCÊS, LEVANTEM O BRAÇO DIREITO DELE E O DE VOCÊS.

- OS BRAÇOS LEVANTADOS ESTÃO DO MESMO LADO? 

B) COM O BONECO DE FRENTE PARA VOCÊS, LEVANTEM O BRAÇO DIREITO DELE E O DE VOCÊS.

- E AGORA, OS BRAÇOS LEVANTADOS ESTÃO DO MESMO LADO? POR QUE ISSO ACONTECEU? 

ATIVIDADES

1. DESTAQUE AS FIGURAS DA PÁGINA 2 DOS **ADESIVOS**. DEPOIS, COLE NA CENA DE ACORDO COM ESTAS INSTRUÇÕES:

- A CAMA DO LADO DIREITO DE RITA.
- O ARMÁRIO DO LADO ESQUERDO DA MESA.

Edde Wagner

2. OBSERVE NOVAMENTE A CENA E RESPONDA:

A) O QUE HÁ EM CIMA DO ARMÁRIO?

____

B) O QUE ESTÁ ATRÁS DE RITA?

____

C) O QUE ESTÁ EMBAIXO DA MESA?

____

3. TRACE O CAMINHO QUE PEDRO DEVERÁ SEGUIR PARA CHEGAR AO CAMPINHO.

- MARQUE COM UM **X** AS DIREÇÕES QUE PEDRO SEGUIU.

☐ EM FRENTE — À DIREITA — À ESQUERDA — À DIREITA.

☐ EM FRENTE — À ESQUERDA — À DIREITA — À ESQUERDA.

AMPLIANDO HORIZONTES...

LIVRO

O LUGAR DAS COISAS, DE SILVANA TAVANO, CALLIS.

O LIVRO BRINCA COM AS PALAVRAS PARA INDICAR ONDE AS COISAS ESTÃO.

CD

DIREITA ESQUERDA, DE SARAH, GREYCE E TATTI, 1999. INTÉRPRETE: ELIANA.

MÚSICA QUE EXPLORA AS DIREÇÕES DIREITA E ESQUERDA.

rede de ideias

OBSERVANDO O QUE HÁ À SUA VOLTA

OBSERVE A CENA.

Fotografia: Franco Hoff/Photo Brazil. Ilustração: Hagaquezart estúdio

1. QUE LUGAR FOI FOTOGRAFADO? VOCÊ JÁ FOI A UM LUGAR COMO ESSE?

____

2. HÁ DOIS TIPOS DE BALÃO NA CENA. OBSERVE.

- CIRCULE A PERSONAGEM QUE ESTÁ FALANDO.

3 DESENHE, NO QUADRO, UMA CENA EM QUE VOCÊ ESTÁ NA PRAIA COM OS AMIGOS. USE BALÕES DE FALA PARA ESCREVER A CONVERSA ENTRE VOCÊS.

4 NA CENA DA PÁGINA ANTERIOR, O MENINO SENTIU A ÁGUA QUENTINHA TOCAR A PELE. AGORA, LIGUE CADA AÇÃO À PARTE DO CORPO CORRESPONDENTE.

A) VER O MAR AZUL.

B) SENTIR O GOSTO DO SORVETE.

C) OUVIR O BARULHO DO MAR.

D) SENTIR O CHEIRO DO MAR.

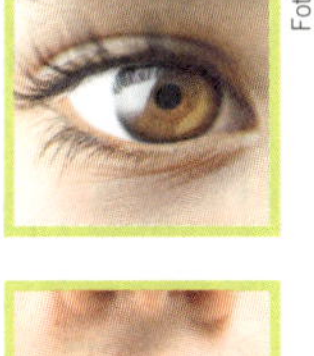

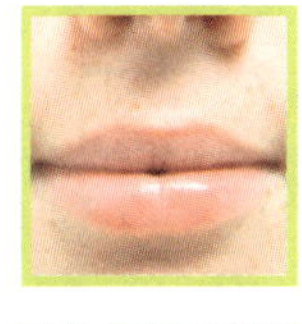

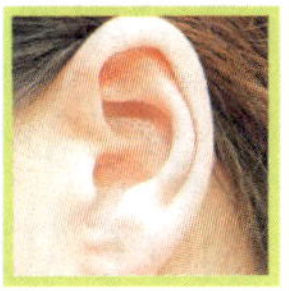

Fotografias: Thinkstock/Getty Images

5 OBSERVE AS CENAS. DEPOIS, CONVERSE COM OS COLEGAS SOBRE AS QUESTÕES.

Ilustrações: Hagaquezart estúdio

A) EM QUAL CENA A PERSONAGEM ESTÁ SENTINDO CHEIRO? COMO VOCÊ PERCEBEU ISSO?

B) O QUE ACONTECEU NA CENA 2? POR QUE VOCÊ ACHA ISSO?

C) QUE PARTE DO CORPO O MENINO USOU PARA SENTIR A PLANTA?

D) ESCREVA AS LETRAS QUE FALTAM E DESCUBRA O SENTIDO RELACIONADO A CADA CENA.

☐ OLFA_____ _____	☐ TA_____ _____
☐ VISÃ_____	☐ AU_____ _____ÇÃO

E) O PALADAR TAMBÉM É UM DOS SENTIDOS DO SER HUMANO. ELE É RESPONSÁVEL POR SENTIRMOS O SABOR DOS ALIMENTOS. NO CADERNO, FAÇA UM DESENHO PARA REPRESENTAR O PALADAR.

6 ASSIM COMO A PERSONAGEM DORINHA, DA TURMA DA MÔNICA, HÁ PESSOAS QUE NÃO TÊM ALGUM DOS CINCO SENTIDOS.

Mauricio de Sousa Produções

A) QUAL SENTIDO DORINHA NÃO TEM?

____

B) NA SUA OPINIÃO, COMO AS PESSOAS COM DEFICIÊNCIA VISUAL PODEM PERCEBER O QUE HÁ AO REDOR? COMENTE.

APESAR DE SEREM CAPAZES DE FAZER MUITAS COISAS SOZINHAS, AS PESSOAS COM DEFICIÊNCIA VISUAL ÀS VEZES PRECISAM DA AJUDA DE OUTRAS PESSOAS OU DO CÃO-GUIA. LEIA UMA DICA SOBRE ISTO.

WWW

[...] NO CASO DO CÃO-GUIA, NÃO ACARICIE OU BRINQUE COM O ANIMAL, POIS ELE PODE SE DISTRAIR E DEIXAR SEU DEVER DE GUIAR PARA SEGUNDO PLANO. [...]

DISPONÍVEL EM: <WWW.CASADAVISAO.ORG.BR/DUVIDAS.HTML>. ACESSO EM: ABRIL DE 2014.

7 O ESPAÇO DA SUA ESCOLA É ADAPTADO PARA PESSOAS COM DEFICIÊNCIA VISUAL? E PARA PESSOAS COM OUTRO TIPO DE DEFICIÊNCIA? CONVERSE COM OS COLEGAS E O PROFESSOR SOBRE ISSO.

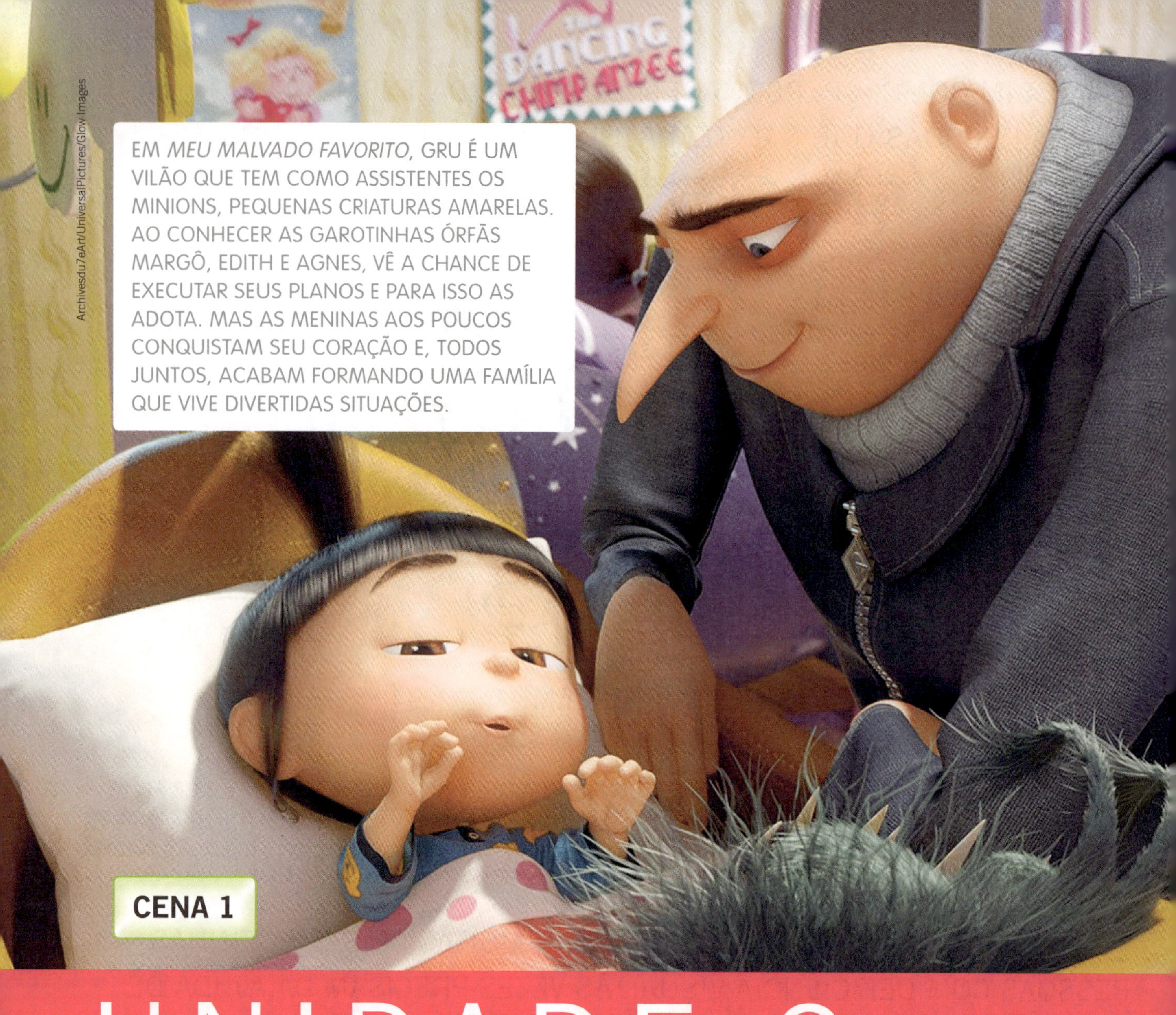

EM *MEU MALVADO FAVORITO*, GRU É UM VILÃO QUE TEM COMO ASSISTENTES OS MINIONS, PEQUENAS CRIATURAS AMARELAS. AO CONHECER AS GAROTINHAS ÓRFÃS MARGÔ, EDITH E AGNES, VÊ A CHANCE DE EXECUTAR SEUS PLANOS E PARA ISSO AS ADOTA. MAS AS MENINAS AOS POUCOS CONQUISTAM SEU CORAÇÃO E, TODOS JUNTOS, ACABAM FORMANDO UMA FAMÍLIA QUE VIVE DIVERTIDAS SITUAÇÕES.

CENA 1

Archivesdu7eArt/UniversalPictures/Glow Images

UNIDADE 2

LUGAR PARA MORAR

CENAS DO FILME *MEU MALVADO FAVORITO 2*, DIRIGIDO POR CHRIS RENAU E PIERRE COFFIN E LANÇADO EM 2013. NA CENA 1, AGNES, GRU E O CACHORRO KYLE; NA CENA 2 (DA ESQUERDA PARA A DIREITA), CARL, GRU E STUART; NA CENA 3 (DA ESQUERDA PARA A DIREITA), GRU, AGNES, MARGÔ E EDITH.

CONVERSE COM OS COLEGAS E O PROFESSOR SOBRE AS QUESTÕES.

1. QUE PARTES DA CASA APARECEM NAS CENAS 1 E 3 DO FILME *MEU MALVADO FAVORITO*?
2. EM QUAL PARTE DA CASA GRU ESTÁ REUNIDO COM OS MINIONS? QUE ATIVIDADES PODEMOS FAZER NESSE LOCAL?
3. EM QUE PARTE DA SUA MORADIA VOCÊ COSTUMA SE REUNIR COM A FAMÍLIA E OS AMIGOS? O QUE VOCÊS FAZEM QUANDO ESTÃO REUNIDOS?

CAPÍTULO 1

A MORADIA

A SUA MORADIA É IMPORTANTE PARA VOCÊ? POR QUÊ? QUE ATIVIDADES VOCÊ COSTUMA FAZER NELA?

OBSERVE AS FOTOGRAFIAS. DEPOIS RESPONDA ÀS QUESTÕES.

Fernando Favoretto/Criar Imagem

FAMÍLIA EM SUA MORADIA NA CIDADE DE SÃO PAULO, NO ESTADO DE SÃO PAULO, EM 2013.

Oliver Wolff/Eltern/Picture Press/Glow Images

CASAL E SEUS FILHOS. FOTOGRAFIA DE 2011.

1. O QUE AS PESSOAS ESTÃO FAZENDO EM CADA CENA?

____

____

2. QUE OUTRAS ATIVIDADES AS PESSOAS COSTUMAM FAZER NAS MORADIAS?

____

3. NA SUA OPINIÃO, POR QUE AS MORADIAS SÃO IMPORTANTES?

____

____

CÔMODOS DA MORADIA

UMA MORADIA PODE SER DIVIDIDA EM **CÔMODOS**, TAMBÉM CHAMADOS **DEPENDÊNCIAS**. QUARTO E COZINHA, POR EXEMPLO, SÃO CÔMODOS DE UMA MORADIA.

4. ESCREVA NOS ESPAÇOS CORRESPONDENTES EM QUE CÔMODO, GERALMENTE, SÃO FEITAS AS ATIVIDADES RETRATADAS NAS FOTOGRAFIAS.

1. 

2. ____

3. 

Thinkstock/Getty Images

MENINO ESCOVANDO OS DENTES.

Thinkstock/Getty Images

MENINA DORMINDO.

Thinkstock/Getty Images

MÃE E FILHA ASSISTINDO À TELEVISÃO.

5. HÁ PESSOAS QUE, POR NÃO TEREM CONDIÇÕES DE COMPRAR OU ALUGAR UMA CASA, VIVEM NAS RUAS. OBSERVE A FOTOGRAFIA.

- NA SUA OPINIÃO, COMO É A VIDA DESSAS PESSOAS?

Marcos André/Opção Brasil Imagens

PESSOAS DORMINDO EM UMA RUA DA CIDADE DE SÃO PAULO, NO ESTADO DE SÃO PAULO, EM 2011.

CAPÍTULO 2

A LOCALIZAÇÃO

LEIA A CONVERSA ENTRE OS MENINOS.

TIAGO USOU ALGUNS **PONTOS DE REFERÊNCIA** PARA INDICAR A LOCALIZAÇÃO DA CASA DELE AO AMIGO, OU SEJA, PARA EXPLICAR ONDE ELA FICA. TIAGO USOU O **RIO** E A **PRAÇA** COMO PONTOS DE REFERÊNCIA.

O **PONTO DE REFERÊNCIA** PODE SER UMA CONSTRUÇÃO OU UM ELEMENTO DA NATUREZA (UM RIO, UM LAGO OU UM MORRO, POR EXEMPLO), QUE FICA PRÓXIMO AO LOCAL QUE QUEREMOS ENCONTRAR.

OBSERVE NA PRÓXIMA PÁGINA A LOCALIZAÇÃO DA CASA DE TIAGO.

1. FAÇA UM **X** NOS PONTOS DE REFERÊNCIA USADOS POR TIAGO PARA INDICAR A LOCALIZAÇÃO DA CASA DELE.

2. QUE OUTROS PONTOS DE REFERÊNCIA TIAGO PODERIA USAR PARA EXPLICAR A LOCALIZAÇÃO DA CASA DELE? PINTE O QUADRADINHO CORRESPONDENTE.

- [ ] BIBLIOTECA
- [ ] CARTEIRO
- [ ] PONTO DE ÔNIBUS
- [ ] FARMÁCIA

3. MARQUE UM **X** NA LOCALIZAÇÃO CORRETA DA CASA DE TIAGO.

- [ ] A CASA ESTÁ EM FRENTE À BIBLIOTECA.
- [ ] A CASA ESTÁ ENTRE A FARMÁCIA E A BIBLIOTECA.
- [ ] A CASA ESTÁ AO LADO DA PRAÇA.

4. COM A AJUDA DO PROFESSOR, ESCREVA ALGUNS PONTOS DE REFERÊNCIA PARA LOCALIZAR A SUA ESCOLA.

5. OBSERVE OUTRA PARTE DO BAIRRO ONDE TIAGO MORA.

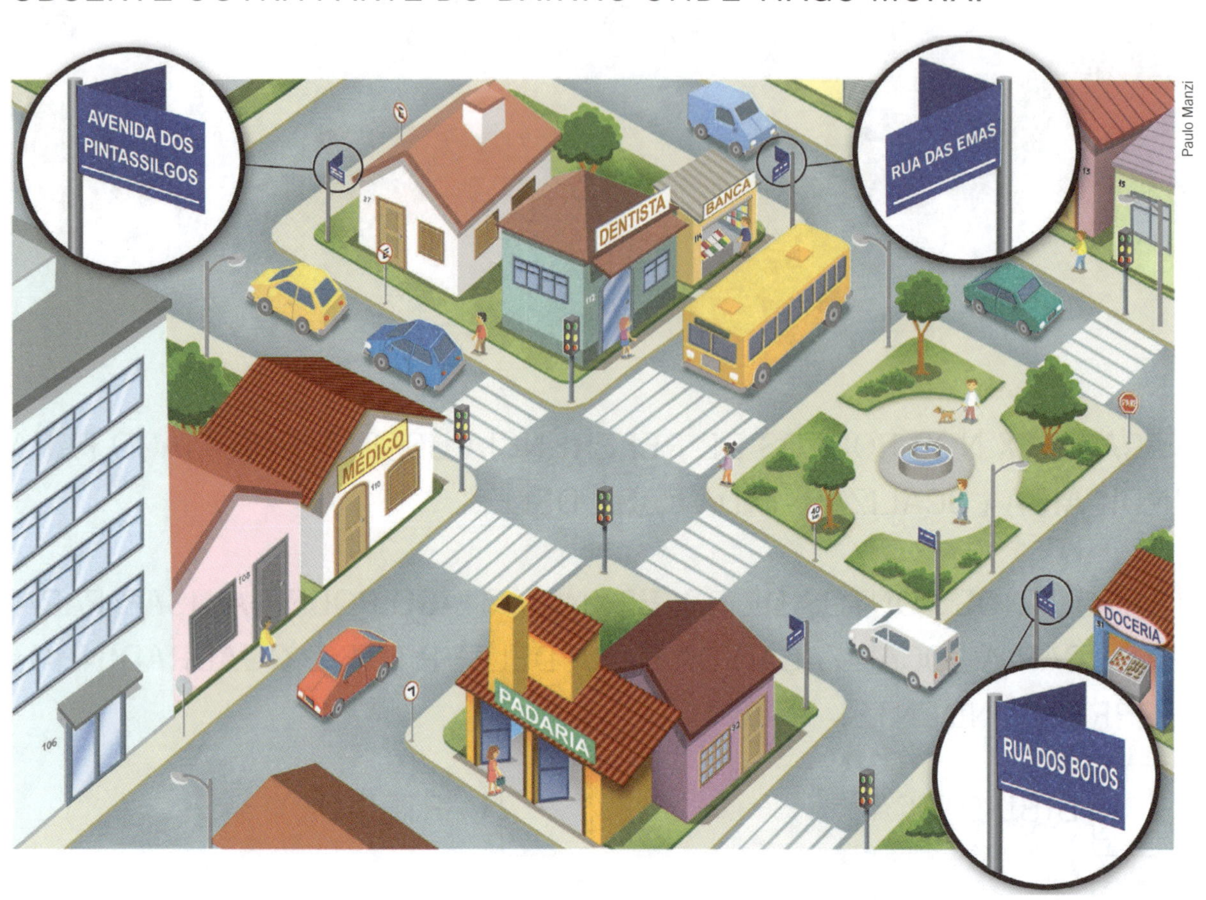

A) ESCREVA A LOCALIZAÇÃO DO CONSULTÓRIO DO DENTISTA USANDO PONTOS DE REFERÊNCIA.

B) ESCREVA O NOME DA RUA ONDE ESTÁ LOCALIZADO O CONSULTÓRIO DO DENTISTA.

O ENDEREÇO

TIAGO VAI ENVIAR UMA CARTA PARA SEU PRIMO JÚLIO. NO ENVELOPE, TIAGO ESCREVEU O NOME E O ENDEREÇO DO PRIMO. VEJA OS ITENS QUE FORMAM O ENDEREÇO COMPLETO DE JÚLIO.

6. COM A AJUDA DO PROFESSOR, ESCREVA O ENDEREÇO COMPLETO DE SUA ESCOLA.

____

____

____

7. COM A AJUDA DE UMA PESSOA QUE MORA COM VOCÊ, ESCREVA O ENDEREÇO COMPLETO DE SUA MORADIA.

____

____

____

ATIVIDADES

1. OBSERVE ESTA CASA DE BONECAS.

FOTOGRAFIA DE UMA CASA DE BONECAS.

A) PINTE OS QUADROS COM OS NOMES DOS CÔMODOS DA CASA DE BONECAS.

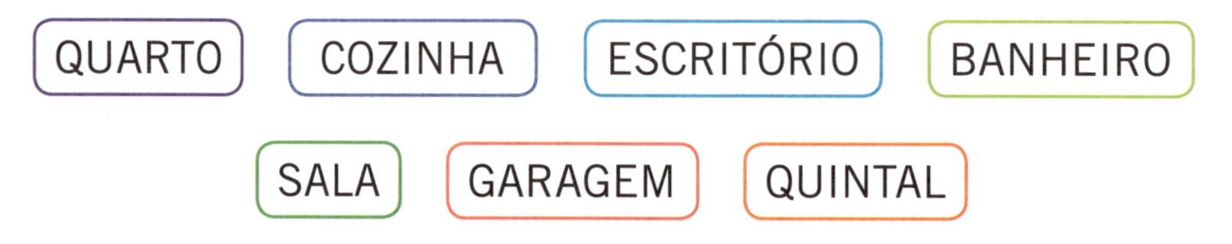

B) QUE CÔMODOS FICAM NA PARTE DE CIMA?

____

C) QUE CÔMODOS ESTÃO DO LADO DIREITO DA CASA?

____

D) ESCOLHA UM CÔMODO DA CASA E CONTE AOS COLEGAS E AO PROFESSOR UMA ATIVIDADE QUE VOCÊ FAZ NELE.

2. DANIELA FEZ UM DESENHO PARA LOCALIZAR A CASA ONDE MORA. OBSERVE.

BIS

A) DANIELA MORA NA CASA VERMELHA COM UMA ÁRVORE NO FUNDO DO QUINTAL. CIRCULE O NOME DA RUA EM QUE ELA MORA.

B) COMPLETE:

A CASA DA DANIELA FICA EM FRENTE AO ______________________

C) ALÉM DO NOME DA RUA, ESCREVA O QUE MAIS É NECESSÁRIO PARA UM ENDEREÇO FICAR COMPLETO.

____

____

AMPLIANDO HORIZONTES...

LIVRO

EM CASA, DE HEINS JANISCH, BRINQUE-BOOK.

COM ESSE LIVRO, PERCEBEMOS QUE A CASA É O LUGAR QUE IDENTIFICA QUEM SOMOS E COMO SOMOS.

SITE

PARTES DA CASA. DISPONÍVEL EM: <WWW.SMARTKIDS.COM.BR/ESPECIAIS/PARTES-DA-CASA.HTML>. ACESSO EM: NOVEMBRO DE 2013.

SITE COM INFORMAÇÕES, JOGOS, ATIVIDADES PARA COLORIR E PASSATEMPOS SOBRE OS CÔMODOS DAS MORADIAS.

rede de ideias

CONVIVÊNCIA NA MORADIA

1 OBSERVE AS FOTOGRAFIAS E LEIA O TEXTO COM A AJUDA DO PROFESSOR.

[...] O POVO YANOMAMI CONSTRÓI UMA ÚNICA ALDEIA-CASA PARA TODO UM GRUPO DE PARENTES. A SHABONO, COMO ELES CHAMAM ESSA CASA, ABRIGA NORMALMENTE DE 65 A 85 PESSOAS.

ESTAS CASAS ONDE MORAM MUITAS PESSOAS OU FAMÍLIAS SÃO DIVIDIDAS DE TAL MANEIRA QUE CADA GRUPO TEM SEU ESPAÇO. NESSE ESPAÇO MONTAM SUA RESIDÊNCIA E OUTRAS FAMÍLIAS NUNCA ENTRAM SEM A PERMISSÃO DOS DONOS, NEM TIRAM UM ÚNICO OBJETO SEM AUTORIZAÇÃO. TODOS OS ESPAÇOS SÃO RESPEITADOS. [...]

DANIEL MUNDURUKU. *COISAS DE ÍNDIO*: VERSÃO INFANTIL. SÃO PAULO: CALLIS, 2006. P. 21-22.

INTERIOR DE UMA MORADIA YANOMAMI, NO MUNICÍPIO DE BARCELOS, NO ESTADO DO AMAZONAS, EM 2010.

Fotografias: Edson Sato/Pulsar Imagens

VISTA DA ALDEIA DEMINI, LOCALIZADA NO TERRITÓRIO INDÍGENA YANOMAMI, NO MUNICÍPIO DE BARCELOS, NO ESTADO DO AMAZONAS, EM 2012.

A) CIRCULE NO TEXTO O NOME DA ALDEIA-CASA DOS YANOMAMI.

B) SUBLINHE NO TEXTO QUANTAS PESSOAS MORAM NA ALDEIA-CASA.

2 CONVERSE COM OS COLEGAS E CITEM SEMELHANÇAS E DIFERENÇAS ENTRE A ALDEIA-CASA E SUA MORADIA.

3 ESCREVA AS LETRAS INICIAIS DO NOME DE CADA FIGURA E DESCUBRA O QUE FAZ COM QUE AS FAMÍLIAS DA CASA SHABONO CONVIVAM BEM.

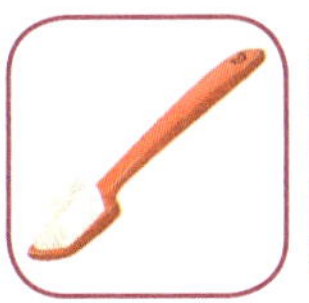

Ilustrações: PriWi

_____ _____ _____ _____ _____ _____ _____ _____

4 VEJA, NAS FOTOGRAFIAS, ALGUMAS ATITUDES QUE LEVAM À BOA CONVIVÊNCIA ENTRE AS PESSOAS DE UMA MORADIA.

Thinkstock/Getty Images

PAI E FILHO LAVANDO LOUÇA.

Helene Rogers/Art Directors & Trip/Alamy/Glow Images

IRMÃOS GUARDANDO BRINQUEDOS.

Eric Audras/ONOKY/Getty Images

MENINO JOGANDO BOLA COM A FAMÍLIA NO JARDIM.

A) NO CADERNO, FAÇA UMA LISTA DE OUTRAS ATITUDES.

B) E NA SUA MORADIA, O QUE VOCÊ E SUA FAMÍLIA FAZEM PARA CONVIVER BEM? EM UMA FOLHA À PARTE, FAÇA UM DESENHO SOBRE ISSO E DEPOIS MOSTRE AOS COLEGAS E AO PROFESSOR.

QUAL É A PEGADA?

CONSUMO

ATITUDES SIMPLES QUE VALEM MUITO!

ALGUMAS ATITUDES SIMPLES NA MORADIA EVITAM O DESPERDÍCIO DE RECURSOS NATURAIS.

RECURSOS NATURAIS: O QUE RETIRAMOS DA NATUREZA E USAMOS PARA CONSUMO OU FABRICAÇÃO DE OUTROS PRODUTOS. A ÁGUA, AS ÁRVORES E O PETRÓLEO SÃO EXEMPLOS DE RECURSOS NATURAIS.

OBSERVE ALGUMAS DESTAS ATITUDES.

SOS Mata Atlântica

O PAPEL É FEITO DE CELULOSE. A MATÉRIA-PRIMA DA CELULOSE É A MADEIRA. QUANTO MAIS PAPEL UTILIZAMOS, MAIS MADEIRA SERÁ CORTADA PARA PRODUZIR ESSE PAPEL. EVITAR O DESPERDÍCIO DE PAPEL TAMBÉM É CUIDAR DO MEIO AMBIENTE.

AJUDE A FAZER UMA HORTA EM CASA. SE NÃO TIVER ESPAÇO, PODEM SER USADOS VASOS.

Ilustrações: Biry Sarkis

SE PRECISAR USAR PRODUTOS DESCARTÁVEIS, COMO UM COPO DE PLÁSTICO, POR EXEMPLO, PROCURE USAR O MESMO COPO MAIS DE UMA VEZ.

1. NA SUA MORADIA, VOCÊ E SUA FAMÍLIA COSTUMAM TER ALGUMA DAS ATITUDES APRESENTADAS? SE COSTUMAM, CIRCULE-AS.

2. NA SUA OPINIÃO, TODA AS ATITUDES APRESENTADAS PODERIAM SER TOMADAS NAS MORADIAS? 

3. EM GRUPO, CONVERSEM SOBRE COMO ESSAS ATITUDES AJUDAM A PRESERVAR RECURSOS NATURAIS E A DIMINUIR A QUANTIDADE DE LIXO.
DEPOIS, FAÇAM UM CARTAZ COM RECORTES E DESENHOS PARA MOSTRAR AS IDEIAS DE VOCÊS.

Gerson Gerloff/Pulsar Imagens

NESTA PÁGINA, FOTOGRAFIA DE CASA NA ZONA RURAL DA CIDADE DE VENÂNCIO AIRES, NO ESTADO DO RIO GRANDE DO SUL, EM 2010. NA PÁGINA SEGUINTE, FOTOGRAFIA DE CASA NA CIDADE DE ALBERTA, NO CANADÁ, EM 2013.

UNIDADE 3

AS MORADIAS SÃO DIFERENTES

Robert McGouey/Alamy/Glow Images

Ilustrações: Hagaquezart estúdio

CONVERSE COM OS COLEGAS E O PROFESSOR SOBRE AS QUESTÕES.

1. NA SUA OPINIÃO, EM QUE CASA A MENINA MORA? E O MENINO?

2. SE VOCÊ TIVESSE DE ESCOLHER UMA DESSAS CASAS PARA MORAR, QUAL DELAS VOCÊ ESCOLHERIA? POR QUÊ?

CAPÍTULO 1

TIPOS DE MORADIA

COMO SÃO AS MORADIAS NO LUGAR ONDE VOCÊ MORA? SÃO PARECIDAS ENTRE SI OU BEM DIFERENTES UMAS DAS OUTRAS? **ORAL**

OBSERVE AS FOTOGRAFIAS. DEPOIS, FAÇA A ATIVIDADE.

Giuseppe Bizzarri/Folhapress

MORADIA NA COMUNIDADE QUILOMBOLA SÃO JOSÉ DA SERRA, LOCALIZADA NO MUNICÍPIO DE VALENÇA, NO ESTADO DO RIO DE JANEIRO, EM 2011.

G. Evangelista/Opção Brasil Imagens

CASA NA CIDADE DE GAROPABA, NO ESTADO DE SANTA CATARINA, EM 2012.

Delfim Martins/Pulsar Imagens

EDIFÍCIOS NA CIDADE DE MANAUS, NO ESTADO DO AMAZONAS, EM 2010.

G. Evangelista/Opção Brasil Imagens

MORADIA NO MUNICÍPIO DE GARIBALDI, NO ESTADO DO RIO GRANDE DO SUL, EM 2012.

1. PINTE AS MOLDURAS DAS FOTOGRAFIAS DE ACORDO COM AS INSTRUÇÕES.

- DE **VERMELHO**, AS MORADIAS TÉRREAS.
- DE **VERDE**, O SOBRADO.
- DE **AZUL**, OS PRÉDIOS DE APARTAMENTOS.

TÉRREA: CASA QUE TEM APENAS UM NÍVEL.
SOBRADO: MORADIA QUE TEM DOIS ANDARES.

AGORA, OBSERVE OUTROS TIPOS DE MORADIA.

Peter Mitmasser/Gamma Stock Photos/Glow Images

MORADIAS NA ILHA DE MIKONOS, NA GRÉCIA, EM 2012.

Fabio Colombini

MORADIA NO MUNICÍPIO DE ACARÁ, NO ESTADO DO PARÁ, EM 2013.

2. ESCREVA NO QUADRINHO O NÚMERO DA FOTOGRAFIA QUE TEM RELAÇÃO COM CADA TEXTO.

☐ A **PALAFITA** É UM TIPO DE CASA CONSTRUÍDA SOBRE ESTACAS, QUE SÃO MADEIRAS COMPRIDAS FINCADAS NO CHÃO. A PALAFITA É MUITO USADA POR PESSOAS QUE MORAM PERTO DE RIOS OU DO MAR. QUANDO AS ÁGUAS SOBEM, A CASA FICA PROTEGIDA.

☐ A COR BRANCA NAS PAREDES E NO TETO, EM MUITOS LUGARES, AJUDA A DEIXAR A PARTE INTERNA DAS CASAS MAIS FRESQUINHA. O BRANCO REFLETE A LUZ DO SOL E, ASSIM, AS PAREDES ABSORVEM MENOS CALOR.

3. NO CADERNO, FAÇA UM DESENHO PARA MOSTRAR O QUE ACONTECERIA SE A CASA DA FOTOGRAFIA 2 NÃO FOSSE CONSTRUÍDA SOBRE ESTACAS.

4. CONVERSE COM OS COLEGAS SOBRE COMO AS CASAS DO LUGAR ONDE VOCÊS MORAM PROTEGEM AS PESSOAS DO FRIO E DO CALOR.

CAPÍTULO 2

A CONSTRUÇÃO DAS MORADIAS

NO LUGAR ONDE VOCÊ MORA, AS CONSTRUÇÕES SÃO FEITAS COM QUAIS MATERIAIS? AS PESSOAS CONSTROEM MORADIAS SEMPRE COM OS MESMOS MATERIAIS OU EXISTEM MATERIAIS DIFERENTES?

AS MORADIAS PODEM SER FEITAS COM MUITOS TIPOS DE MATERIAL.

G. Evangelista/Opção Brasil Imagens

CASA DE ALVENARIA NA CIDADE DE PIRENÓPOLIS, NO ESTADO DE GOIÁS, EM 2012.

NESTA CASA, OS PRINCIPAIS MATERIAIS DE CONSTRUÇÃO SÃO TIJOLOS E CIMENTO. ESSE TIPO DE MORADIA É CHAMADO **CASA DE ALVENARIA**.

Palê Zuppani/Pulsar Imagens

CASA DE PAU A PIQUE EM RESERVA EXTRATIVISTA NO ESTADO DE TOCANTINS, EM 2010.

ESTA CONSTRUÇÃO É CHAMADA **CASA DE PAU A PIQUE**. SUAS PAREDES SÃO FEITAS COM MADEIRA E BARRO.

ESTA CASA FOI CONSTRUÍDA COM **REAPROVEITAMENTO DE MATERIAIS**, COMO PLÁSTICO E MADEIRA.

CASAS NA CIDADE DE SIDROLÂNDIA, NO ESTADO DE MATO GROSSO DO SUL, EM 2013.

G. Evangelista/Opção Brasil Imagens

O TIPO DE MATERIAL USADO NA CONSTRUÇÃO DE UMA MORADIA GERALMENTE DEPENDE DA RENDA DAS PESSOAS E DO QUE ELAS ENCONTRAM NO LUGAR ONDE VIVEM.

RENDA: DINHEIRO QUE AS PESSOAS RECEBEM PELO TRABALHO QUE REALIZAM.

HÁ PESSOAS QUE NÃO PODEM COMPRAR MATERIAIS COMO BLOCOS E TIJOLOS E CONSTROEM SUAS CASAS COM O QUE ENCONTRAM. OUTROS FATORES, NO ENTANTO, PODEM INFLUENCIAR O TIPO DE MATERIAL USADO NA CONSTRUÇÃO DAS MORADIAS, COMO AS TRADIÇÕES E OS COSTUMES DE UMA SOCIEDADE.

OBSERVE A FOTOGRAFIA.

Palê Zuppani/Pulsar Imagens

CONSTRUÇÃO DE CASA NO MUNICÍPIO DE CHAPADINHA, NO ESTADO DO MARANHÃO, EM 2010.

1. O QUE ESTÁ SENDO UTILIZADO NA CONSTRUÇÃO DO TELHADO DESSA CASA?

____

2. POR QUE VOCÊ ACHA QUE ESSES MATERIAIS ESTÃO SENDO UTILIZADOS?

____

ATIVIDADES

1. OBSERVE AS FOTOGRAFIAS. DEPOIS, RESPONDA ÀS QUESTÕES.

G. Evangelista/Opção Brasil Imagens

CASA NA CIDADE DE GARIBALDI, NO ESTADO DO RIO GRANDE DO SUL, EM 2012.

Paulo Fridman/Pulsar Imagens

CASA NA CIDADE DE MIRANDA, NO ESTADO DE MATO GROSSO DO SUL, EM 2010.

A) QUAL É A CASA DE ALVENARIA? ______________________________

B) QUAL DAS CASAS É TÉRREA? ______________________________

2. DESCUBRA AS LETRAS QUE FALTAM E COMPLETE AS PALAVRAS DOS QUADROS.

- A CASA CONSTRUÍDA SOBRE ESTACAS É CHAMADA P ___ L ___ F ___ ___ A.

  MUITAS DESSAS CASAS SE LOCALIZAM NA BEIRA DE R ___ ___ S.

- UMA CASA COM MAIS DE UM ANDAR SE CHAMA S ___ ___ R ___ ___ O.

- NOS P ___ ___ ___ IOS, AS MORADIAS SÃO CHAMADAS DE APARTAMENTOS.

- A CASA FEITA COM PAREDES DE MADEIRA E BARRO É CHAMADA CASA DE ___ ___ ___ A PIQUE.

3. OBSERVE AS FOTOGRAFIAS E LEIA O TEXTO SOBRE ELAS. DEPOIS RESPONDA ÀS QUESTÕES.

Bernd Siering/Premium Stock Photography GmbH/Alamy/Glow Images

Jeff/AlaskaStock RM/DIOMEDIA

ANTIGAMENTE, OS INUÍTES VIVIAM EM IGLUS, MORADIAS FEITAS DE GELO. ATUALMENTE, ALGUNS INUÍTES CONSTROEM IGLUS APENAS QUANDO SAEM PARA CAÇAR E PRECISAM DE ABRIGO. HOJE EM DIA, O POVO INUÍTE, QUE TAMBÉM É CONHECIDO COMO ESQUIMÓ, HABITA CASAS DE MADEIRA. NAS FOTOGRAFIAS: À DIREITA, IGLU; À ESQUERDA, MORADIAS NA COMUNIDADE INUÍTE DE QAASUITSUP, NA GROENLÂNDIA, EM 2010.

A) POR QUE AS CASAS DOS INUÍTES TÊM DE OFERECER MUITA PROTEÇÃO?

____

B) HOJE EM DIA, COM QUE MATERIAL SÃO FEITAS AS CASAS DOS INUÍTES? PINTE O QUADRO COM O NOME DESSE MATERIAL.

MADEIRA | GELO | TIJOLOS E CIMENTO

C) ANTIGAMENTE, COM QUE MATERIAL OS INUÍTES FAZIAM SUAS CASAS?

____

4. AGORA, VOCÊ VAI OBSERVAR VÁRIAS MORADIAS E RELACIONAR CADA UMA DELAS COM UM LUGAR DIFERENTE.

COLE

- NA PÁGINA 11 DO **MATERIAL COMPLEMENTAR**, VOCÊ IRÁ ENCONTRAR AS FIGURAS DAS MORADIAS E, NAS PÁGINAS 13 E 15, AS ILUSTRAÇÕES DOS LUGARES.
- DESTAQUE E COLE CADA MORADIA NO LUGAR EM QUE VOCÊ ACHA QUE ELA PODE TER SIDO CONSTRUÍDA.

AMPLIANDO HORIZONTES...

LIVRO

UM MUNDO DE CRIANÇAS, DE ANA BUSCH E CAIO VILELA, PANDA BOOKS.

NESSE LIVRO VOCÊ PODE CONHECER UM POUCO DO LUGAR E DA VIDA DE CRIANÇAS DE VÁRIOS PAÍSES DO MUNDO.

rede de ideias

MORADIAS ANTIGAS

OBSERVE A FOTOGRAFIA E LEIA O TEXTO E A LEGENDA.

Adilson dos Santos/ Prefeitura de Quissamã

NO BRASIL, HOJE EM DIA, HÁ MUITAS CONSTRUÇÕES ANTIGAS QUE FORAM PRESERVADAS. NA FOTOGRAFIA, POR EXEMPLO, PODEMOS VER A ANTIGA SENZALA DA FAZENDA MACHADINHA, NO MUNICÍPIO DE QUISSAMÃ, NO ESTADO DO RIO DE JANEIRO, EM 2007.

NA CASA DA FOTOGRAFIA MORAM DESCENDENTES DE AFRICANOS QUE FORAM ESCRAVIZADOS. ESSA CONSTRUÇÃO ESTÁ LOCALIZADA EM UMA ANTIGA FAZENDA DE CANA-DE-AÇÚCAR, ONDE NO PASSADO OS ESCRAVOS MORAVAM E TRABALHAVAM.

1 ESCREVA AS LETRAS INICIAIS DOS NOMES DAS FIGURAS E DESCUBRA O NOME DA CONSTRUÇÃO ONDE OS ESCRAVOS MORAVAM.

Wilson Jorge Filho

Hélio Senatore

Ilustra Cartoon

Thinkstock/Getty Images

Thinkstock/Getty Images

Thinkstock/Getty Images

Wilson Jorge Filho

_____ _____ _____ _____ _____ _____ _____

2 AS SENZALAS SÃO DO TEMPO EM QUE MUITAS PESSOAS ERAM TRAZIDAS DA ÁFRICA CONTRA A VONTADE PARA TRABALHAR NAS FAZENDAS EM REGIME DE ESCRAVIDÃO.

Victor Frond. *Senzala em fazenda fluminense*, 1859. Biblioteca Municipal, São Paulo, Brasil.

GRAVURA DE SENZALA EM FAZENDA DO ESTADO DO RIO DE JANEIRO, DE VICTOR FROND, 1859.

A) DESCREVA A CASA RETRATADA NA GRAVURA. ORAL

B) DEPOIS QUE OS ESCRAVOS FORAM DECLARADOS LIVRES, MUITOS CONTINUARAM A MORAR NAS SENZALAS. NA SUA OPINIÃO, POR QUE ISSO ACONTECEU? ORAL

3 ATUALMENTE, NA FAZENDA MACHADINHA, OS MORADORES DESENVOLVEM ATIVIDADES QUE REGISTRAM FATOS DA HISTÓRIA DO BRASIL.

- NA SUA OPINIÃO, CONSTRUÇÕES QUE FIZERAM PARTE DA HISTÓRIA DO BRASIL DEVEM SER PRESERVADAS? POR QUÊ? ORAL

Adilson dos Santos/Prefeitura de Quissamã

FOTOGRAFIA DE APRESENTAÇÃO DE JONGO NA FAZENDA MACHADINHA, NA CIDADE DE QUISSAMÃ, NO ESTADO DO RIO DE JANEIRO, EM 2013. O JONGO É UMA DANÇA DE ORIGEM AFRICANA DANÇADA AO SOM DE TAMBORES.

QUAL É A PEGADA?

PRESERVAÇÃO

CASA ECOLÓGICA

A TINTA É FEITA COM MATERIAIS ENCONTRADOS NA NATUREZA, COMO A TERRA.

A ÁGUA DA CHUVA É ARMAZENADA E, DEPOIS, FILTRADA PARA O USO.

O QUINTAL E OS CANTEIROS SÃO USADOS PARA O CULTIVO DE ALGUMAS PLANTAS E HORTALIÇAS, SEM USO DE VENENOS.

1. DESTAQUE AS LEGENDAS DOS **ADESIVOS** E COLE NO LUGAR CORRESPONDENTE NA CASA.
2. NA SUA OPINIÃO, POR QUE A **CASA ECOLÓGICA** AJUDA NA PRESERVAÇÃO DO MEIO AMBIENTE? ORAL
3. A SUA MORADIA PODE SER CONSIDERADA UMA CASA ECOLÓGICA? POR QUE VOCÊ ACHA ISSO? ORAL
4. CONVERSE COM UM ADULTO QUE MORA COM VOCÊ. PROCURE SABER SE É POSSÍVEL MUDAR ALGO EM SUA MORADIA QUE CONTRIBUA PARA A PRESERVAÇÃO DO MEIO AMBIENTE.

UNIDADE 4

A SALA DE AULA

Hagaquezart estúdio

Hagaquezart estúdio

ILUSTRAÇÃO REPRESENTANDO APRESENTAÇÃO DE TEATRO DE FANTOCHES EM ESCOLA.

CONVERSE COM OS COLEGAS E COM O PROFESSOR SOBRE AS PERGUNTAS.

1. O QUE OS ALUNOS DA ILUSTRAÇÃO ESTÃO FAZENDO NA SALA DE AULA? VOCÊ E OS COLEGAS JÁ FIZERAM ESSE TIPO DE ATIVIDADE?

2. QUE OUTRAS ATIVIDADES SÃO FEITAS EM UMA SALA DE AULA?

3. ESSA SALA DE AULA É PARECIDA COM A SUA?

CAPÍTULO 1

A SALA DE AULA

COMO AS CARTEIRAS ESCOLARES E O ESPAÇO DA SUA SALA DE AULA ESTÃO ORGANIZADOS NESTE MOMENTO? A ORGANIZAÇÃO É SEMPRE ESSA OU ÀS VEZES MUDA?

OBSERVE COMO ESTAS SALAS DE AULA FORAM ORGANIZADAS.

Ana Druzian

SALA DE AULA EM ESCOLA PÚBLICA NA CIDADE DE TRÊS LAGOAS, NO ESTADO DE MATO GROSSO DO SUL, EM 2013.

Leo Drumond/Nitro

SALA DE AULA EM ESCOLA MUNICIPAL DE BELO HORIZONTE, NO ESTADO DE MINAS GERAIS, EM 2008.

1. LIGUE O NÚMERO DAS FOTOGRAFIAS DA PÁGINA ANTERIOR À ATIVIDADE QUE OS ALUNOS RETRATADOS ESTÃO REALIZANDO.

1	RODA DE CONVERSA OU DEBATE
2	TRABALHO EM GRUPO

2. OBSERVE ESTES OBJETOS.

MAPA DA AMÉRICA DO SUL

Stefan Kolumban/Pulsar Imagens

GLOBO TERRESTRE

Thinkstock/Getty Images

LOUSA, APAGADOR E GIZ

Thinkstock/Getty Images

COMPUTADOR

Thinkstock/Getty Images

A) CIRCULE O NOME DOS OBJETOS ACIMA QUE HÁ NA SUA SALA DE AULA.

B) QUE OUTROS OBJETOS PODEMOS ENCONTRAR EM UMA SALA DE AULA?

____

____

C) POR QUE É IMPORTANTE CUIDAR BEM DOS OBJETOS USADOS NA SALA DE AULA?

____

____

PONTOS DE VISTA

OBSERVE DIFERENTES DESENHOS DA MESMA SALA DE AULA.

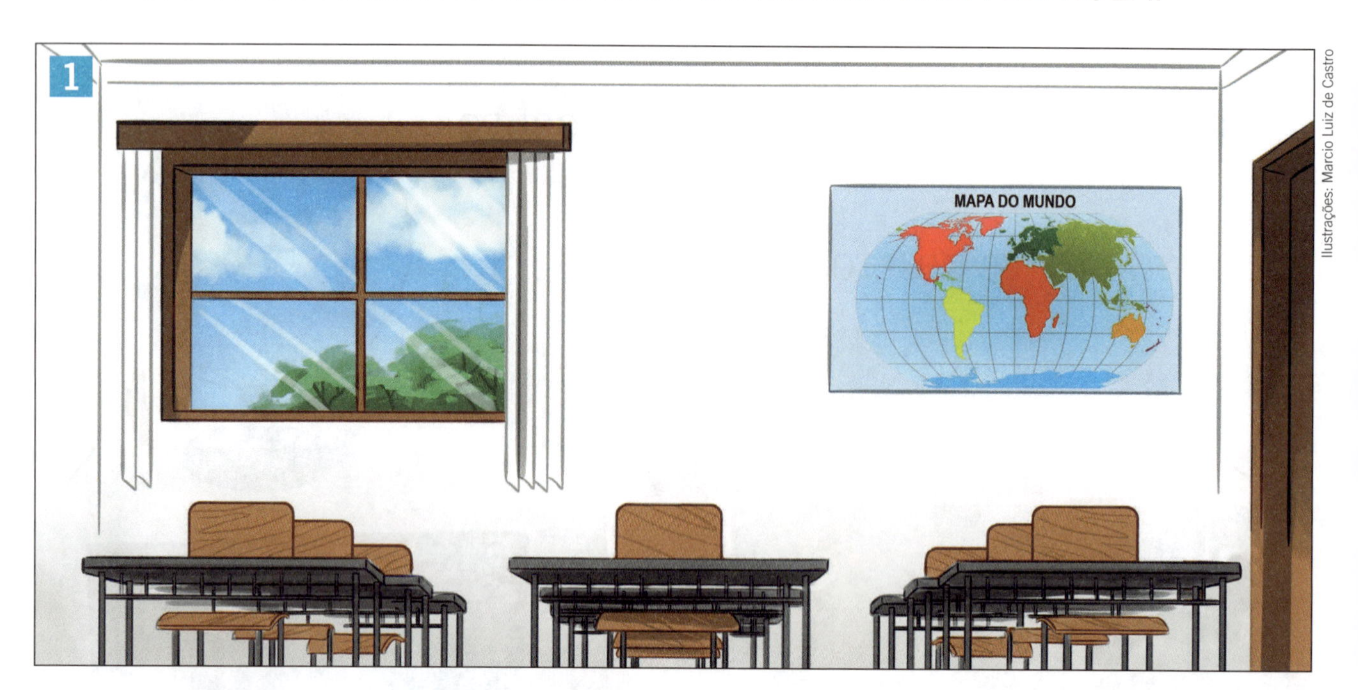

Ilustrações: Marcio Luiz de Castro

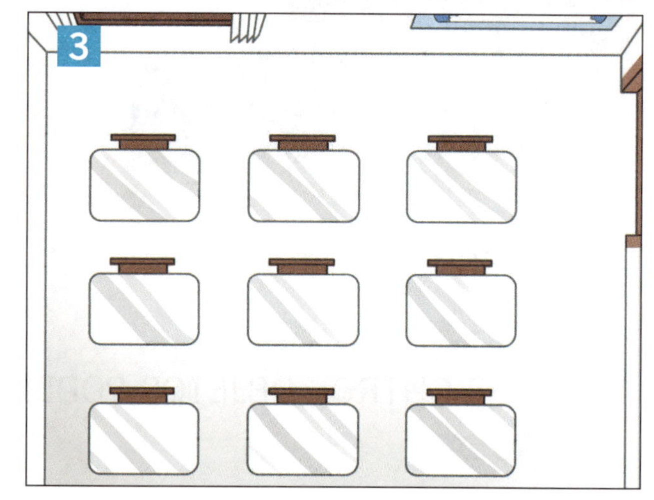

3. ESCREVA EM CADA QUADRINHO O NÚMERO DO DESENHO DA SALA DE AULA CORRESPONDENTE.

A) SALA DE AULA VISTA **DE FRENTE**. ☐

B) SALA DE AULA VISTA **DE CIMA PARA BAIXO**. ☐

C) SALA DE AULA VISTA **DE CIMA E DE FRENTE** AO MESMO TEMPO. ☐

4. DESTAQUE OS **ADESIVOS** E COLE AS FOTOGRAFIAS NO LUGAR CORRETO. COLE

CARTEIRA ESCOLAR VISTA DE FRENTE.

Fernando Favoretto/Criar Imagem

CARTEIRA ESCOLAR VISTA DE CIMA PARA BAIXO.

CARTEIRA ESCOLAR VISTA DE CIMA E DE FRENTE.

A CARTEIRA ESCOLAR E OS OBJETOS QUE ESTÃO SOBRE ELA FORAM REPRESENTADOS EM DIFERENTES POSIÇÕES: DE FRENTE, DE CIMA PARA BAIXO E DE CIMA E DE FRENTE.

AS DIFERENTES POSIÇÕES DE ONDE SE OLHA UM LUGAR OU UM OBJETO CHAMAM-SE **PONTOS DE VISTA**.

5. ESCREVA O PONTO DE VISTA A PARTIR DO QUAL CADA OBJETO FOI FOTOGRAFADO.

Thinkstock/Getty Images

LOUSA

Fernando Favoretto/Criar Imagem

CARTEIRA ESCOLAR

Thinkstock/Getty Images

GLOBO TERRESTRE

____________ ____________ ____________

6. ESCOLHA UM OBJETO E, NO CADERNO, FAÇA DESENHOS PARA REPRESENTAR ESSE OBJETO:

- DE FRENTE.
- DE CIMA PARA BAIXO.
- DE CIMA E DE FRENTE.

CAPÍTULO 2

MAQUETE E PLANTA

VOCÊ JÁ VIU UMA MAQUETE? SE A RESPOSTA FOR SIM, O QUE ELA REPRESENTAVA? ORAL

OBSERVE.

Paulo Manzi

MENINO OBSERVA MAQUETE.

1. QUE LUGAR FOI REPRESENTADO NA MAQUETE?

____

2. ESCREVA TRÊS COISAS QUE HÁ NA ESCOLA REPRESENTADA.

____

3. COMPLETE O TEXTO COM UMA DAS PALAVRAS.

MAIOR MENOR

NAS MAQUETES, AS CONSTRUÇÕES E OS ELEMENTOS DOS LUGARES SÃO REPRESENTADOS EM TAMANHO BEM ______________ DO QUE ELES TÊM NA REALIDADE.

GENTE QUE FAZ!

MAQUETE DA SALA DE AULA

VOCÊ E OS COLEGAS VÃO CONSTRUIR A MAQUETE DE UMA SALA DE AULA.

MATERIAIS

- CAIXA DE SAPATOS GRANDE
- CAIXAS DE PALITOS DE FÓSFORO
- TAMPINHAS DE GARRAFA
- CAIXAS DE REMÉDIO
- CAIXA DE LÁPIS DE COR GRANDE

Ilustrações: Marcio Luiz de Castro

ETAPAS DE TRABALHO

1. DECIDIR QUAIS OBJETOS E MÓVEIS SERÃO REPRESENTADOS NA MAQUETE. POR EXEMPLO: CARTEIRAS, ARMÁRIOS, ENTRE OUTROS.
2. DECIDIR QUAL MATERIAL SERÁ UTILIZADO PARA REPRESENTAR CADA OBJETO E MÓVEL DA SALA DE AULA. POR EXEMPLO: A CAIXA DE SAPATOS REPRESENTA A SALA DE AULA.
3. PINTAR OU ENCAPAR OS MATERIAIS.
4. CONVERSAR SOBRE A POSIÇÃO DOS OBJETOS E DOS MÓVEIS NA MAQUETE E COLOCAR NA CAIXA DE SAPATOS.

MAQUETE E PLANTA DA SALA DE AULA

OBSERVE A MAQUETE FEITA PELA TURMA DO 2º ANO.

4. ESCREVA NOS QUADROS OS NOMES DOS OBJETOS REPRESENTADOS NA MAQUETE.

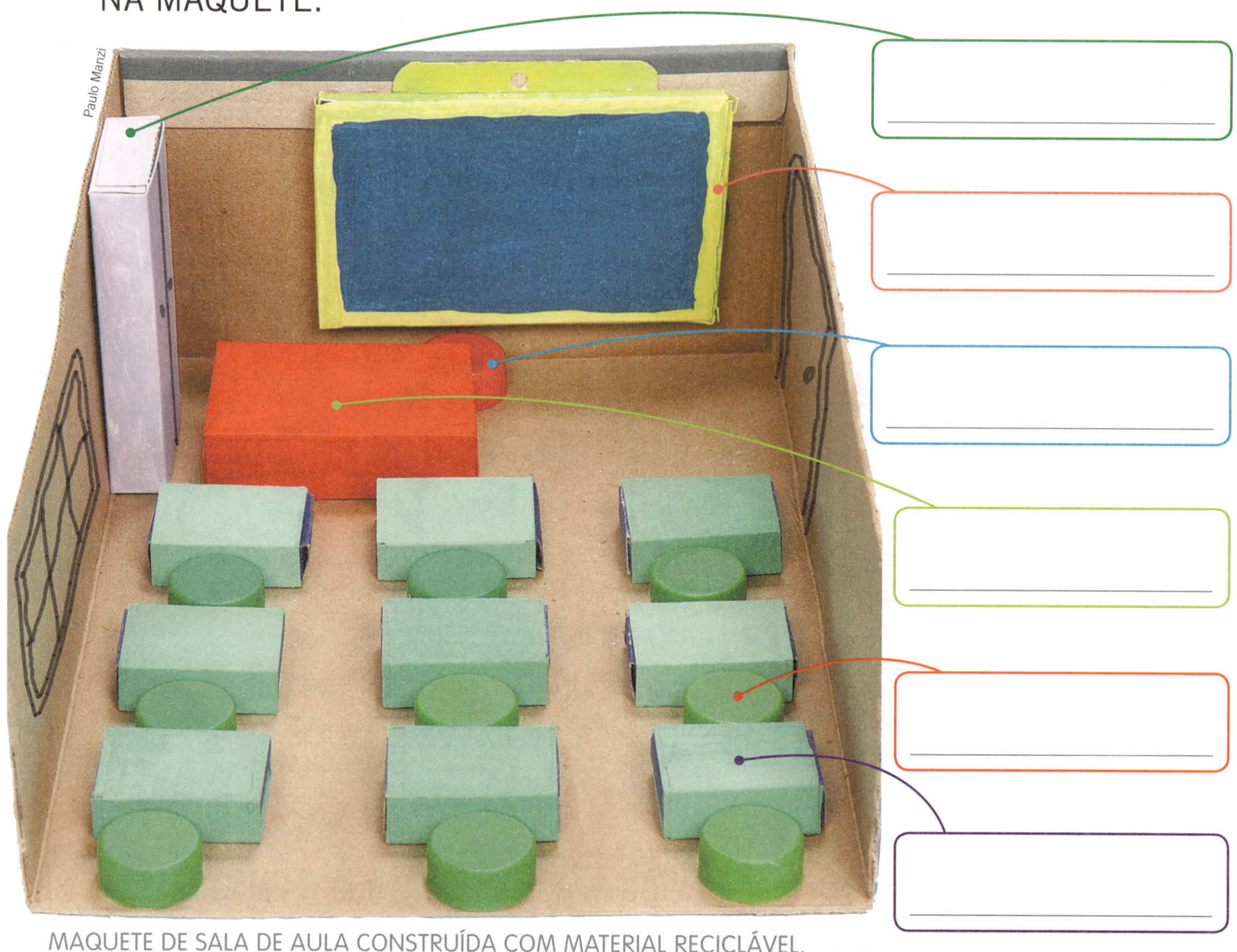

MAQUETE DE SALA DE AULA CONSTRUÍDA COM MATERIAL RECICLÁVEL.

5. QUANTAS MESAS DE ALUNOS HÁ NA SALA DE AULA?

____

6. ESSA MAQUETE PODE REPRESENTAR SUA SALA DE AULA? EXPLIQUE.

____

____

OBSERVE OUTRA FORMA DE REPRESENTAR A MESMA SALA DE AULA.

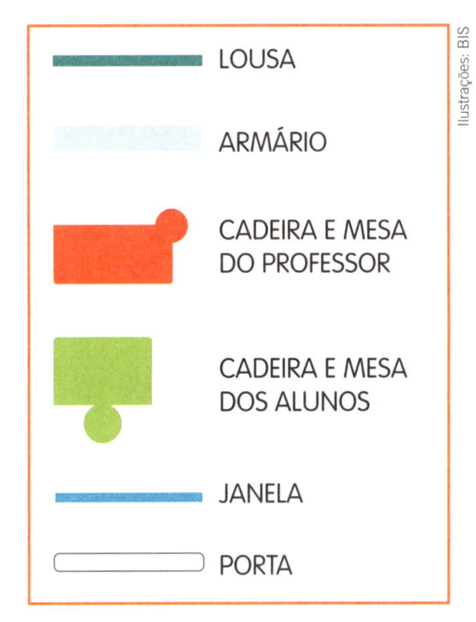

NESSE CASO, A SALA DE AULA FOI DESENHADA A PARTIR DO PONTO DE VISTA DO ALTO, DE CIMA PARA BAIXO, E OS MÓVEIS E OBJETOS DA SALA FORAM REPRESENTADOS POR PEQUENOS DESENHOS, CHAMADOS SÍMBOLOS. ESSE TIPO DE REPRESENTAÇÃO É CHAMADO **PLANTA**.

AO LADO DA PLANTA HÁ UMA LISTA COM O SIGNIFICADO DOS SÍMBOLOS. ESSA LISTA CHAMA-SE **LEGENDA**.

7. CITE UMA DIFERENÇA ENTRE A PLANTA E A MAQUETE.

____

____

8. NA PLANTA, COM QUE COR FOI REPRESENTADO O ARMÁRIO?

____

ATIVIDADES

1. OBSERVE A ILUSTRAÇÃO E DEPOIS RESPONDA ÀS QUESTÕES.

Dawidson França

A) A PARTIR DE QUAL PONTO DE VISTA A SALA DE AULA FOI REPRESENTADA?

- [ ] DE CIMA PARA BAIXO.
- [ ] DE FRENTE.
- [ ] DE CIMA E DE FRENTE AO MESMO TEMPO.

B) COMPLETE A FRASE COM UMA DAS PALAVRAS.

CÍRCULO DUPLA TRIO

- OS ALUNOS ESTÃO ORGANIZADOS EM ____________________.

C) NA SUA OPINIÃO, POR QUE A SALA DE AULA ESTÁ ORGANIZADA DESSA MANEIRA?

____

____

____

____

____

D) ESCREVA NO CADERNO OUTRAS FORMAS DE ORGANIZAR A SALA DE AULA.

2. QUAL PLANTA CORRESPONDE À ORGANIZAÇÃO DA SALA DE AULA DA PÁGINA ANTERIOR?

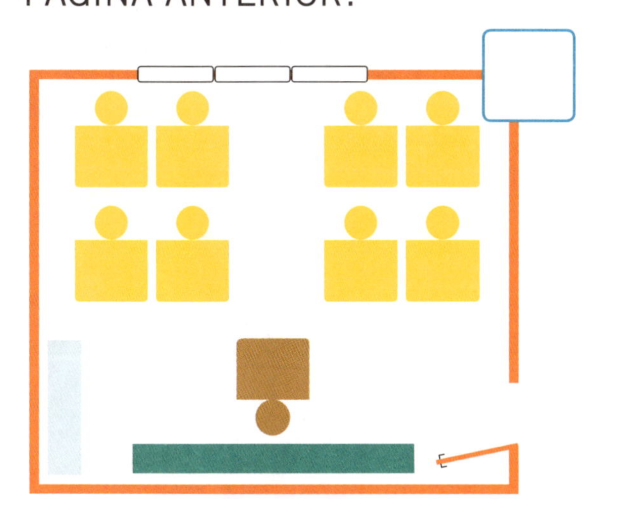

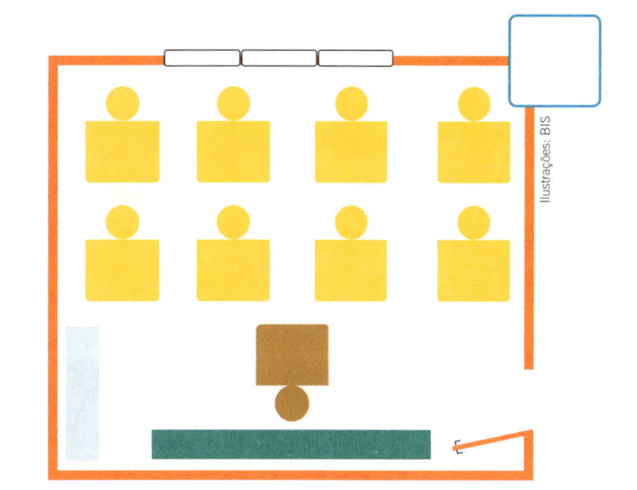

Ilustrações: BIS

A) LIGUE CADA SÍMBOLO DA PLANTA AO SEU SIGNIFICADO.

MESA E CADEIRA DO PROFESSOR

MESA E CADEIRA DOS ALUNOS

LOUSA

B) NA PLANTA, COMO O LUGAR DO PROFESSOR FOI DIFERENCIADO DO LUGAR DOS ALUNOS?

3. DESTAQUE OS SÍMBOLOS DAS PÁGINAS 7 E 9 DO **MATERIAL COMPLEMENTAR** E, EM UMA FOLHA À PARTE, ELABORE DUAS PLANTAS DE SALA DE AULA. PENSE NA PLANTA:

COLE

- DE UMA SALA ORGANIZADA PARA O DEBATE.
- DE UMA SALA ORGANIZADA PARA A APRESENTAÇÃO DE UM TRABALHO EM GRUPO.

4. CONHEÇA UM POUCO SOBRE A ESCOLA AMORIM LIMA.

Rita Barreto

A ESCOLA MUNICIPAL DE ENSINO FUNDAMENTAL AMORIM LIMA FAZ PARTE DA REDE PÚBLICA DO MUNICÍPIO DE SÃO PAULO, E SUA ORGANIZAÇÃO É INSPIRADA NA ESCOLA DA PONTE, QUE FICA EM PORTUGAL. FOTOGRAFIA DE 2014 DE UM DOS SALÕES DA ESCOLA AMORIM LIMA.

DOIS GRANDES GRUPOS DE SALAS DE AULA TIVERAM SUAS PAREDES LITERALMENTE DERRUBADAS. ASSIM, CRIARAM-SE DOIS GRANDES SALÕES. EM UM "SALÃO" FICAM OS ALUNOS DO CICLO I [ALUNOS DO 1º AO 5º ANO] E NO OUTRO OS ALUNOS DO CICLO II [ALUNOS DO 6º AO 9º ANO]. ESSES ALUNOS SENTAM-SE EM MESAS DE QUATRO [OU CINCO] LUGARES PARA REALIZAREM AS SUAS PESQUISAS [...]. OS PROFESSORES — CERCA DE CINCO OU SEIS — CIRCULAM PELO SALÃO PARA AJUDAR OS ALUNOS EM SUAS DÚVIDAS E EXPLICAR ALGUNS CONCEITOS SE ISSO SE FIZER NECESSÁRIO. [...].

DISPONÍVEL EM: <HTTP://AMORIMLIMA.ORG.BR/INSTITUCIONAL/PROJETO-POLITICO-PEDAGOGICO/>. ACESSO EM: MARÇO DE 2015.

A) PINTE O QUADRINHO QUE CORRESPONDE À INFORMAÇÃO CORRETA DADA NO TEXTO SOBRE A ESCOLA AMORIM LIMA.

☐ HÁ DEZ SALAS DE AULA.

☐ HÁ DOIS GRANDES SALÕES.

B) COM UM COLEGA, DESENHE A PLANTA DE UM DOS SALÕES DA ESCOLA AMORIM LIMA.

C) O QUE VOCÊ ACHOU DESSE TIPO DE ORGANIZAÇÃO? CONVERSE COM O PROFESSOR E OS COLEGAS SOBRE ISSO.

5. EM UMA FOLHA À PARTE, DESENHE A SUA SALA DE AULA, REPRESENTANDO A FORMA COMO ESTÁ ORGANIZADA NESTE MOMENTO. VOCÊ PODE USAR SÍMBOLOS COMO OS DAS PLANTAS DA PÁGINA 63 OU CRIAR OUTROS SÍMBOLOS.

AMPLIANDO HORIZONTES...

LIVRO

MEU MATERIAL ESCOLAR, DE RICARDO AZEVEDO, MODERNA.

NESSE LIVRO, VOCÊ VAI DESCOBRIR QUE SEU MATERIAL ESCOLAR É MUITO MAIS DIVERTIDO DO QUE PARECE.

FILME

ALÉM DA SALA DE AULA. DIREÇÃO DE JEFF BLECKNER. ESTADOS UNIDOS, 2011.

UMA JOVEM PROFESSORA INICIA NA PROFISSÃO PRECISANDO DAR AULAS PARA CRIANÇAS SEM LAR, EM UMA ESCOLA COM SALAS DE AULA IMPROVISADAS.

rede de ideias

MATERIAIS ESCOLARES

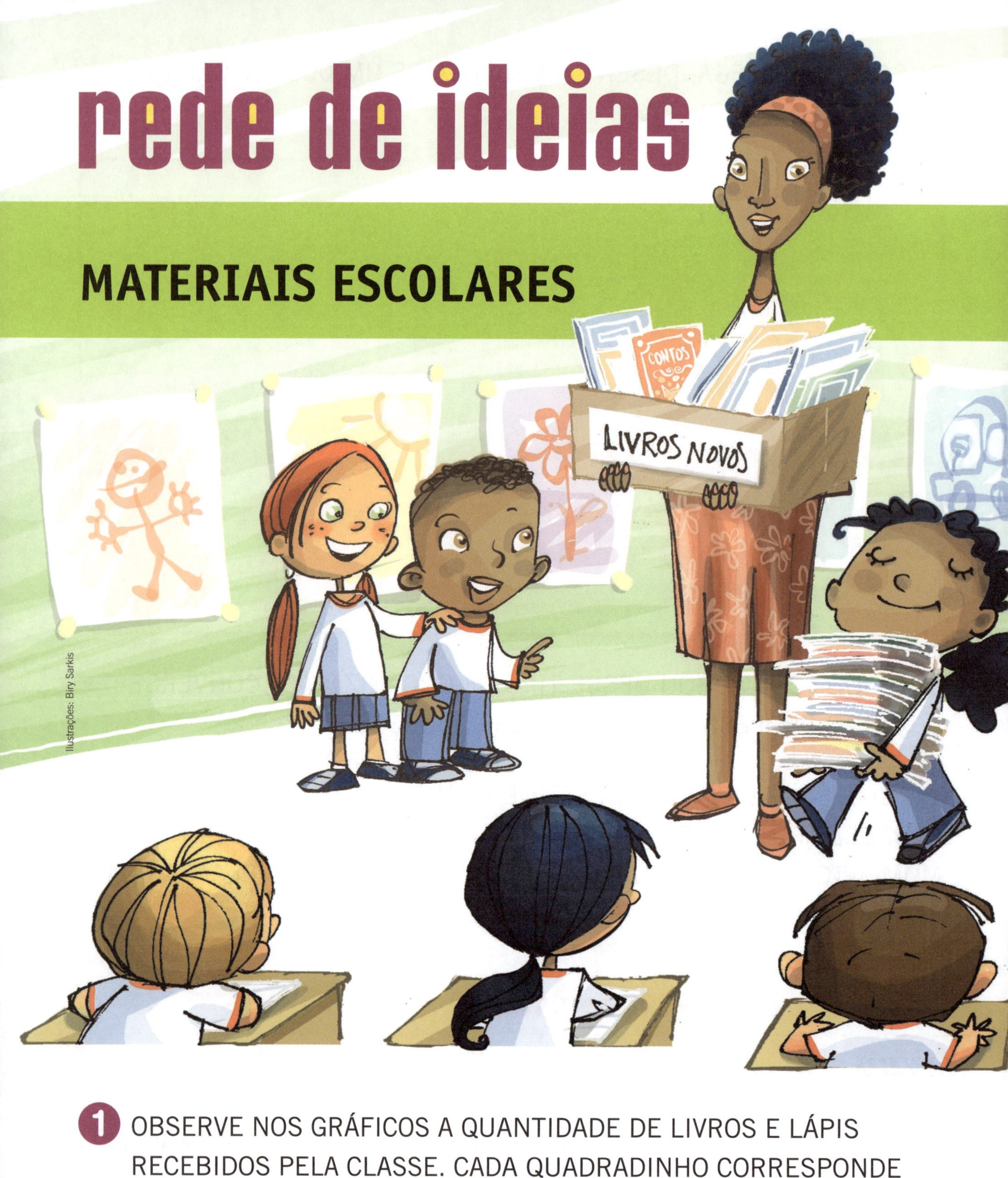

Ilustrações: Biry Sarkis

1 OBSERVE NOS GRÁFICOS A QUANTIDADE DE LIVROS E LÁPIS RECEBIDOS PELA CLASSE. CADA QUADRADINHO CORRESPONDE A UMA UNIDADE.

A) QUANTOS LIVROS A CLASSE RECEBEU NO TOTAL?

____

B) A QUANTIDADE DE LÁPIS RECEBIDOS PELA CLASSE É MAIOR OU MENOR QUE A QUANTIDADE DE LIVROS?

____

2 OBSERVE A QUANTIDADE DE ALUNOS NA TURMA. CADA QUADRADINHO CORRESPONDE A UM ALUNO.

A) SE CADA ALUNO RECEBER UM LIVRO, VÃO SOBRAR OU FALTAR LIVROS? QUANTOS?

____

B) SE CADA ALUNO RECEBER UM LÁPIS, VÃO SOBRAR OU FALTAR LÁPIS? QUANTOS?

____

3 LEIA O TEXTO.

> OS MATERIAIS ESCOLARES SÃO FABRICADOS COM MATÉRIAS-PRIMAS.

A) ESCOLHA UM MATERIAL ESCOLAR E PESQUISE QUE MATÉRIAS-PRIMAS SÃO USADAS PARA A PRODUÇÃO DELE. EM UMA FOLHA À PARTE, FAÇA UM DESENHO OU UMA COLAGEM SOBRE O QUE PESQUISOU. DEPOIS, MOSTRE A SUA PESQUISA PARA OS COLEGAS E O PROFESSOR.

RECORTE E COLE

B) NA SUA OPINIÃO, É IMPORTANTE REAPROVEITAR MATERIAIS ESCOLARES?

Ilustrações: Biry Sarkis

Ilustração: Hagaquezart estúdio Fotografia: Eduardo Zappia/Pulsar Imagens

UNIDADE 5

A escola

Montagem feita a partir de ilustrações e a fotografia de uma escola localizada no município de Fortaleza, no estado do Ceará, em 2013.

Converse com os colegas e o professor sobre as questões.

1. Que lugar foi representado na imagem?

2. Sobre que atividades os alunos estão falando?

3. Que atividades podem ser realizadas nesse lugar?

4. Do que você mais gosta na sua escola?

Capítulo 1

Diferentes escolas

A sua escola está localizada no campo ou na cidade? É uma escola mantida pelo governo ou é preciso pagar uma quantia em dinheiro por mês para estudar nela?

ORAL

Observe estas escolas.

Gerson Sobreira/Terrastock

Escola rural no município de José de Freitas, no estado do Piauí, em 2012.

João Prudente/Pulsar Imagens

Escola no município de Camanducaia, no estado de Minas Gerais, em 2012.

1. Escreva uma diferença entre essas escolas.

---

2. Marque um **X** na fotografia da escola que tem dois pavimentos.

> **Pavimento**: um andar de uma construção.

As escolas das fotografias são **públicas**. Isso quer dizer que o dinheiro para construção, funcionamento e manutenção vem dos impostos.

No Brasil também há escolas **particulares**, onde são cobradas mensalidades, que são utilizadas para o funcionamento e a manutenção da escola.

> **Imposto**: dinheiro que os governos recolhem de pessoas e empresas.
> **Mensalidade**: pagamento feito uma vez por mês.

3. Observe a fotografia e leia o texto.

Cesar Diniz/Pulsar Imagens

A escola que se vê na fotografia é uma escola pública que fica na comunidade quilombola da Barra, no município de Rio de Contas, no estado da Bahia. Nas comunidades quilombolas, vivem os descendentes de africanos que foram trazidos ao Brasil para trabalhar como escravos. Em muitas escolas quilombolas, os alunos estudam a história e a cultura de seus antepassados. Fotografia de 2012.

a) Pinte de amarelo a parte do texto que informa onde fica a escola.

b) Na sua opinião, essa escola se localiza no campo ou na cidade? Por que você acha isso?

c) Por que é importante estudarmos a história e a cultura de nossos antepassados?

4. Pinte o(s) quadro(s) com a(s) informação(ões) correta(s) sobre sua escola.

pública	fica no campo	particular	fica na cidade

Dependências da escola

Observe a planta de uma escola e suas dependências.

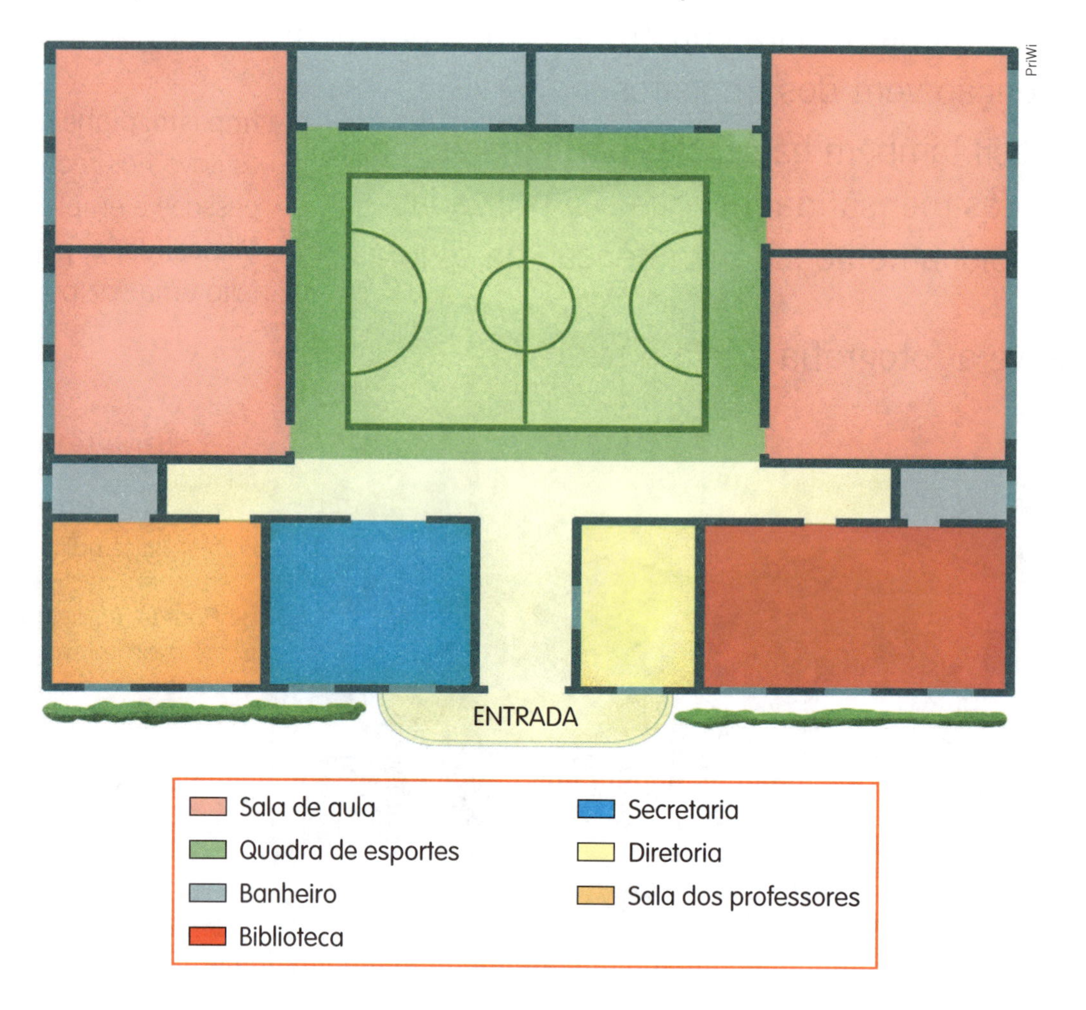

5. Quantas dependências há na escola representada? Quais são elas? ORAL

6. Quantas salas de aula há na escola?

____

7. Faça um **X** nas salas de aula que estão à direita da quadra de esportes.

8. Desenhe na planta o caminho mais curto da entrada da escola até:

a) a biblioteca.

b) o banheiro atrás da quadra de esportes, à esquerda.

Agora, vamos conhecer melhor as dependências da escola onde você estuda.

9. Com a ajuda do professor, preencha a ficha com a quantidade de dependências da sua escola.

Dependência	Quantidade	Dependência	Quantidade
Sala de aula		Biblioteca	
Pátio		Laboratório de Ciências	
Sala de vídeo		Laboratório de informática	
Refeitório		Quadra de esportes	

Ilustrações: PriWi

10. Comparem a sua escola com a escola representada na planta e respondam no caderno às questões.

a) Na sua escola há as dependências representadas na planta? Há outras dependências? Quais?

b) Na sua opinião, a escola em que você estuda deveria ter mais dependências? Se você acha que sim, escreva quais e explique por quê.

11. Em uma folha à parte, faça uma planta da sua escola, da forma como você acha que ela deveria ser. Represente as dependências que você considera importantes. Depois mostre seu trabalho para os colegas e o professor.

Capítulo 2

Profissionais da escola

Que profissionais trabalham na escola em que você estuda? Quais são as principais atividades que cada um deles realiza?

Cada profissional que trabalha na escola exerce uma função muito importante para o desenvolvimento das atividades escolares.

1. Substitua os símbolos por letras para descobrir quem são alguns dos profissionais que trabalham na escola.

A	B	C	D	E	F	I	L	N	O	P	R	S	T

Ilustrações: JLH

a) É a principal responsável pela administração da escola.

Fernando Favoretto/Criar Imagem

Escola particular na cidade de São Paulo, no estado de São Paulo, em 2012.

b) É responsável pelo ensino e pela aprendizagem dos alunos.

Fabio Colombini

Escola indígena no bairro de Parelheiros, na cidade de São Paulo, no estado de São Paulo, em 2010.

c) É a responsável pela documentação de alunos, funcionários e professores.

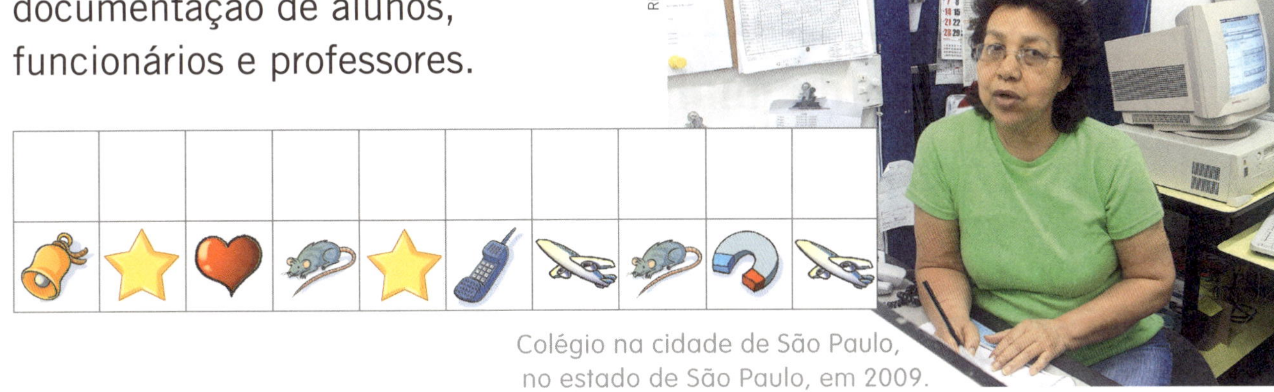

Colégio na cidade de São Paulo, no estado de São Paulo, em 2009.

d) Organiza e controla os livros da biblioteca e auxilia os alunos em pesquisas.

Escola estadual na cidade de São Paulo, no estado de São Paulo, em 2010.

e) Controla e organiza a entrada e a saída dos alunos, e das demais pessoas na escola.

Colégio na cidade de São Paulo, no estado de São Paulo, em 2009.

2. Que outros profissionais há na escola? 

Gente que faz!

Profissionais da minha escola

Vocês vão conhecer alguns profissionais da escola e as funções que eles exercem. Sigam as etapas de trabalho.

Etapa 1: Identificar os profissionais

- Com a ajuda do professor, identifique cinco profissionais que trabalham na escola. Depois, complete o quadro.

Profissionais da minha escola	
Nome	**Função**

Etapa 2: Entrevistar um profissional

- Com um colega, escolham um dos profissionais do quadro e realizem uma entrevista com ele. Utilizem a ficha da página ao lado.

Estúdio Chanceler

Ficha de entrevista

- Qual é o seu nome? ______
- O que você faz na escola? ______
- Há quanto tempo você trabalha na escola? ______
- Do que você mais gosta na escola? ______
- Se você pudesse mudar algo na escola, o que seria? ______
- Como nós, alunos, podemos contribuir para o seu trabalho? ______

Etapa 3: Desenhar o profissional

- No caderno, faça um desenho do profissional entrevistado exercendo o trabalho dele.

Etapa 4: Discutir com a classe

- Converse com os colegas e o professor sobre a importância de cada profissional que trabalha na escola onde você estuda. Depois, escreva uma conclusão do que foi conversado.

Atividades

1. Observe a fotografia e leia o relato do professor indígena Korotowï Ikpeng.

Rogério Reis/Pulsar Imagens

> A escola indígena existe para preservar o costume, a cultura e o hábito da comunidade. Nela o professor ensina música, dança, cantiga e as histórias dos antepassados. [...]
>
> Ela ensina também o conhecimento do mundo do branco, a falar português, elaborar documentos para autoridades [...].
>
> Disponível em: <www.socioambiental.org/prg/xng_b1.shtm>. Acesso em: abril de 2013.

a) Cite diferenças e semelhanças entre a escola da fotografia e a escola onde você estuda.

____

____

____

b) No caderno faça um desenho para mostrar as atividades que ocorrem na escola indígena, de acordo com o texto.

2. Encontre quatro dependências que geralmente há nas escolas.

B	A	N	H	E	I	R	O	U	G	C
O	V	N	N	X	E	J	O	R	O	U
S	A	L	A	D	E	A	U	L	A	M
V	E	O	B	J	Q	U	A	D	R	A
M	S	E	C	R	E	T	A	R	I	A

3. Observe a fotografia e responda às perguntas.

Fernando Favoretto/Criar Imagem

Limpeza e organização de sala de aula de escola estadual na cidade de São Paulo, no estado de São Paulo, em 2010.

a) Que profissional da escola foi retratado na fotografia?

____

b) Por que o trabalho desse profissional é importante?

____

____

c) Como os alunos podem contribuir com esse profissional?

____

____

____

Ampliando horizontes...

livro

Uma escola assim, eu quero pra mim, de Elias José, FTD.

Quando dona Marisa veio substituir dona Celina, a rotina da escola começou a mudar. E os alunos adoraram.

filme

Timothy vai à escola: conhecendo a turma. Brasil: Cultura, 2006.

Em seu primeiro dia de aula, Timothy fica encantado com tudo e todos na escola. Faz novos amigos e vive uma grande aventura.

rede de ideias

Como era minha escola

1 Leia o depoimento da senhora Meriy sobre a escola onde ela estudou. Depois, responda às perguntas.

Estudei dos 6 aos 10 anos no Grupo Escolar de Nova Marília, que ficava em uma fazenda no município de Tupi Paulista, no estado de São Paulo.

A escola era pública e foi criada para atender às crianças que moravam em fazendas próximas. Era um prédio pequeno, com apenas uma sala de aula, diretoria e banheiro. As carteiras eram de madeira. Sentávamos em duplas, de acordo com a idade de cada um. Não havia separação por série ou ano.

Depoimento da senhora Meriy S. Falconi, que estudou de 1952 a 1956 em uma escola localizada na área rural do município de Tupi Paulista.

Acervo pessoal

Meriy ao lado do irmão na fazenda onde moravam no município de Tupi Paulista, no estado de São Paulo, em 1956.

Rita Barreto

Senhora Meriy em 2014.

a) Qual o nome da autora do depoimento?

____

b) O Grupo Escolar de Nova Marília era uma escola pública ou privada?

____

c) Sublinhe no texto o nome do lugar onde ficava a escola em que a senhora Meriy estudou.

2 Sublinhe as informações do depoimento de acordo com a legenda.

- (verde) As dependências que havia na escola.
- (azul) Como os alunos eram organizados na sala de aula.

3 Escreva uma diferença entre a escola onde a senhora Meriy estudou e a sua escola.

____

____

4 Entreviste seu avô, avó ou uma outra pessoa mais velha sobre a escola onde ela estudou.

a) Destaque e utilize a ficha da página 5 do **Material Complementar** para registrar as informações da entrevista.

b) Faça na ficha o desenho de como você acha que era essa escola.

c) Exponha as informações e os desenhos no mural da classe.

5 Com a ajuda do professor, vocês vão montar um painel fotográfico da escola onde estudam. Para isso, providenciem, com funcionários antigos ou ex-alunos da escola, fotografias que mostrem como ela era antigamente. GRUPO

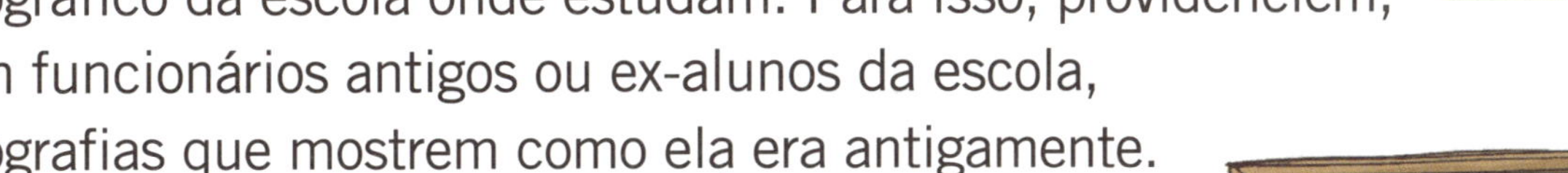

- Após a montagem do painel, observe as transformações que ocorreram na escola e converse com os colegas e o professor sobre isso.

Biry Sarkis

QUAL É A PEGADA?
conservação

Uma escola melhor para todos

Biry Sarkis

1. Observe as imagens. ORAL
   a) Como estava o jardim da escola representada na imagem?
   b) Como o jardim ficou?
   c) Na sua opinião, essa mudança foi importante? Por quê?

2. Agora, você vai registrar como está a conservação das dependências da sua escola.

   Desenhe no quadro da página seguinte o símbolo que está de acordo com a conservação de cada dependência. Observe, por exemplo, a limpeza, a conservação dos móveis e de outros objetos.

Biry Sarkis

Conservação das dependências da minha escola					
Jardim		Quadra de esportes		Pátio	
Salas de aula		Banheiros		Biblioteca	
Refeitório		Cozinha		Sala dos professores	

BIS

Ruim
Não tem

3. Quais dependências de sua escola estão bem conservadas? 

4. Há espaços que podem melhorar? Se houver, quais são eles? 

5. Em grupo, façam um cartaz sobre como os alunos podem contribuir para a conservação das dependências da escola.

UNIDADE 6

Da casa à escola

Oi, meu nome é Tomás. Minha casa é amarela e fica atrás de uma farmácia.

Converse com os colegas e o professor sobre as questões.

1. Quem mora em um sítio e quem mora na cidade?
2. Qual das crianças mora mais perto da escola?
3. Que caminho Rafaela faz para chegar à escola? Por quais lugares ela passa nesse caminho?

Hagaquezart estúdio

Capítulo 1

Trajetos

O que você observa no caminho da sua casa até a escola? ORAL

Observe o desenho que Rafaela fez do trajeto da casa dela até a escola.

Trajeto: caminho ou percurso que fazemos para chegar a um lugar.

BIS

Rafaela indicou alguns locais por onde ela passa para ir da casa dela até a escola. Esses locais, como já vimos, são pontos de referência que facilitam a localização e ajudam a encontrar caminhos.

1. Circule, no desenho de Rafaela, os pontos de referência que ela pode indicar no caminho de casa até a escola.

2. Em uma folha à parte, desenhe o trajeto que você faz para ir da sua sala de aula até uma das dependências da escola listadas.

a) Banheiro

b) Refeitório

c) Quadra de esportes

d) Sala dos professores

Trajeto casa-escola

Vamos desenhar o trajeto casa-escola?

3. Tente lembrar por onde você passa e o que você vê no trajeto, como casas, árvores, ponte, rio, comércio.

Ilustrações: Edde Wagner

4. Escreva no caderno os locais por onde você passa e os pontos de referência, como farmácia, escola, praça, entre outros.

5. Em uma folha à parte e com as informações anotadas na atividade 4, desenhe o trajeto casa-escola. Identifique os locais e os pontos de referência por onde você passa. Utilize setas para indicar o caminho que você faz.

Depois apresente seu desenho aos colegas, explicando o trajeto que você percorre de casa até a escola.

Transporte para a escola

Observe as fotografias.

Zig Koch/Opção Brasil Imagens

Transporte escolar da comunidade São José do Tupé para o município de Manaus, no estado do Amazonas, em 2012.

Cesar Diniz/Pulsar Imagens

Transporte escolar do município de Lorena, no estado de São Paulo, em 2012.

João Prudente/Pulsar Imagens

Ônibus escolar na cidade de Gravatá, no estado de Pernambuco, em 2012.

Edu Lyra/Pulsar Imagens

Estudantes de bicicleta na cidade de Soure, no estado do Pará, em 2012.

6. Você usa algum meio de transporte para ir à escola? Se usa, qual?

____

____

7. Na sua opinião, que lugares retratados ficam no campo? E quais ficam na cidade? Por que você acha isso?

8. Complete a cruzadinha com os nomes dos meios de transporte retratados que as crianças usam para ir à escola.

Nid Arts

Leo Texeira

R

L

Os meios de transporte podem ser classificados em três tipos:

Os meios de transporte podem ser classificados em três tipos:

Terrestre: o caminho é feito por terra, podendo ser por ruas, estradas, ferrovias, entre outros.

Hidroviário ou aquático: o caminho é feito por água, como rios e mares.

Aéreo: o caminho é feito pelo ar.

9. Escreva o número das fotografias da página anterior de acordo com a classificação do meio de transporte.

a) Terrestre: ____________ **b)** Hidroviário ou aquático: ____________

10. Observe as fotografias e classifique os meios de transporte.

Charles Polidano/Touch The Skies/Alamy/Glow Images

Trevor Smithers ARPS/ Alamy/Glow Images

Rogério Reis/Pulsar Imagens

____________ ____________ ____________

11. No lugar onde você mora, que meio de transporte é mais usado pelas pessoas no dia a dia?

Capítulo 2

O trânsito

Como é o trânsito no lugar onde você mora? O que existe para organizar o trânsito de pessoas e de veículos nos lugares? Há sinais de trânsito no caminho da sua casa até a escola? Se sim, quais? ORAL

Observe a ilustração. Ela mostra o **trânsito** de um lugar.

Hagaquezart estúdio

Trânsito é o nome que se dá ao movimento de pessoas e veículos nas vias públicas, como ruas, avenidas e rodovias.

Para organizar o trânsito e oferecer segurança, foram criadas sinalizações de trânsito, como **placas de sinalização**, **faixas de segurança** e **semáforos**.

As **placas de sinalização** têm símbolos que transmitem mensagens para motoristas e pedestres.

Fernando Favoretto/Criar Imagem

Placa de sinalização que informa: Área escolar.

As **faixas de segurança** também são conhecidas como **faixas para pedestres**.

Fotografia: Mauricio Simonetti/Pulsar Imagens. Ilustração: Hagaquezart estúdio

Montagem feita com ilustrações e fotografia da avenida Afonso Pena, na cidade de Belo Horizonte, no estado de Minas Gerais, em 2012.

O **semáforo** para veículos é um equipamento que possui três luzes de cores diferentes. Cada cor tem um significado e orienta motoristas e pedestres. Leia as legendas abaixo. Destaque as figuras da página 3 do **Material Complementar** e cole cada semáforo junto à legenda correspondente. COLE

Ilustrações: Hagaquezart estúdio

Quando a luz vermelha se acende, os **veículos** devem parar. Essa cor significa **PARE**.

A luz amarela indica que os **motoristas** devem ficar mais atentos, pois em breve eles deverão parar. Essa cor significa **ATENÇÃO**.

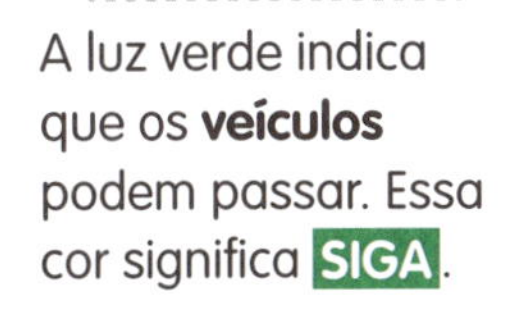

A luz verde indica que os **veículos** podem passar. Essa cor significa **SIGA**.

1. Circule, na ilustração da página anterior, as sinalizações de trânsito.

Cuidados no trajeto para a escola

Alguns cuidados no trajeto casa-escola são importantes para a segurança das crianças e dos adultos. Observe alguns desses cuidados.

Ilustrações: Edde Wagner

2. Leia as frases. Depois, escreva no quadrinho o número da imagem que corresponde a cada frase.

a) Todos devem usar cinto de segurança nos veículos. Crianças com menos de 10 anos devem ser transportadas no banco traseiro do carro. ☐

b) No transporte escolar, todos devem permanecer sentados e utilizar o cinto de segurança durante todo o percurso. ☐

c) Os pedestres devem sempre andar nas calçadas. ☐

d) Antes de atravessar a rua, o pedestre deve olhar para os dois lados para verificar se não há veículos se aproximando. Sempre que possível, ele deve atravessar em locais com semáforo e faixa de segurança. ☐

Gente que faz!

Cuidados no trânsito

Ilustrações: Edde Wagner

Em grupo, vocês vão montar um "teatrinho" e encenar uma atitude correta e outra incorreta no trânsito. Sigam as etapas.

- Com a ajuda do professor, vocês vão se dividir em grupos.
- Discutam que cenas serão apresentadas. Vocês podem pensar em situações que já observaram, envolvendo pedestres e veículos, por exemplo.
- Produzam um roteiro com as falas das personagens e a descrição de cada cena.
- Combinem o que cada aluno representará; por exemplo: pedestres, carros, bicicletas e guardas de trânsito.
- Providenciem roupas e objetos que farão parte da cena, como bonés para os guardas de trânsito e capacete para o ciclista.
- Após a encenação, conversem sobre a importância de seguir as regras de trânsito e de ter atitudes adequadas para evitar acidentes.

Alguns alunos podem fazer o papel de semáforos e de placas de sinalização. Nesse caso, cada aluno deverá segurar um cartaz com o símbolo da placa ou com a cor da luz do semáforo que deverá estar acesa.

Atividades

1. Guilherme convidou Isabela e Bruno para uma festa na casa dele. Observe o mapa que ele fez para ajudar os amigos a chegarem à festa. Depois faça as atividades.

BIS

a) Isabela mora na casa amarela ao lado do mercado. Trace de verde o trajeto que ela deverá fazer a pé até a casa de Guilherme.

b) Trace de vermelho o trajeto que Bruno fará a pé. Ele mora no prédio que fica na frente da padaria.

c) Que sinalizações de trânsito há no mapa de Guilherme? 

d) Que cuidados devemos ter ao atravessar as ruas? 

2. Várias placas de sinalização de trânsito indicam situações no dia a dia de muitas pessoas. Ligue a situação retratada com a placa de sinalização correspondente.

G. Evangelista/Opção Brasil Imagens

Obras de recuperação de uma estrada no estado de Alagoas, em 2010.

Thinkstock/Getty Images

J. Duran Machfee/Futura Press

Agente de trânsito na cidade de São Paulo, no estado de São Paulo, em 2010.

Thinkstock/Getty Images

3. Observe novamente a fotografia 2 e responda: que sinalização de trânsito aparece nessa imagem?

____

Ampliando horizontes...

livro

Motorista e pedestre — passo a passo conquistando seu espaço, de Juciara Rodrigues, Formato.

O livro conscientiza os leitores sobre a importância de um comportamento adequado no trânsito para evitar acidentes.

vídeo

Os meios de transporte. Disponível em: <www.youtube.com/watch?v=Aw33PktqosA>. Acesso em: maio de 2014. Vídeo que enumera alguns meios de transporte aquáticos, terrestres e aéreos.

rede de ideias

Leia o poema.

A caminho da escola

Sou Geovana
Da casa amarela
Com floreiras na janela.

Para a escola vou a pé
O caminho é divertido.

Desço a rua e viro
à direita, na esquina
da padaria: — Oi, seu Zé!

Vou cantando...

— Boa tarde, seu Juca!
Compro analgésico da vovó, na volta.

Passo pela Praça do Sol.
Tem um relógio de flores
desenhado no chão
e a banca de jornais do Seu João.

No banco da pracinha,
Às vezes eu fico pensando no Guto,
que apareceu na TV e
mora embaixo do viaduto.

Passando em frente ao prédio verde
Vejo lá na primeira janela
Dona Ida acenando feliz.

Ufa! Cheguei!
Hoje tem aula da Tia Beatriz.
[...]

A caminho da escola, de Rita Nasser, especialmente para esta obra.

Ilustrações: Luis Matuto

1. Geovana utiliza algum meio de transporte para chegar à escola ou vai a pé? ORAL

2. Na sua opinião, por que Geovana fica pensando em Guto? ORAL

3. No trajeto para a escola, Geovana cita vários pontos de referência. Sublinhe o nome de um deles no poema.

4 Circule o número do desenho que representa o trajeto da casa de Geovana até a escola.

1

2

BIS

5 Vamos reescrever o poema **A caminho da escola**.

a) Em uma folha à parte, você vai fazer uma versão do poema de acordo com o caminho que você faz para ir à escola. Por exemplo:

Sou Mateus

Do prédio bege

Para a escola vou de ônibus escolar...

b) Leia seu poema para os colegas e o professor.

6 Leia o texto e observe a fotografia para fazer as atividades.

WWW

Pedibus, o ônibus humano

[...] Essa espécie de ônibus humano funciona como um coletivo tradicional, só que, em vez de sentados, os passageiros vão a pé. As crianças seguem em grupo para a aula, guiadas por um adulto-motorista, que avisa a hora certa de atravessar as ruas por onde passam, organiza a caminhada e para nos pontos para pegar mais passageiros.

Coletivo tradicional: ônibus comum.

St. Petersburg Times/Zumapress.com/Glow Images

Pedibus na cidade de São Petersburgo, na Flórida, nos Estados Unidos, em 2010.

Esse veículo diferente também segue regras como o horário pontual de saída e o trajeto fixo. [...]. Criado na Austrália em 1991, ele tem linhas espalhadas por diferentes países da Europa e também pelos Estados Unidos e pela Nova Zelândia, com formas de organização distintas. [...]

Disponível em: <http://educarparacrescer.abril.com.br/politica-publica/pedibus-542635.shtml>. Acesso em: novembro de 2013.

a) Explique como as crianças da fotografia vão para a escola. ORAL

b) Escreva uma diferença e uma semelhança entre o pedibus e um ônibus comum.

____

____

____

c) Na sua opinião, que vantagens o pedibus tem em relação a outras maneiras de ir para a escola? Converse com os colegas e o professor.

7 Observe a localização dos países citados no texto.

O PEDIBUS NO MUNDO

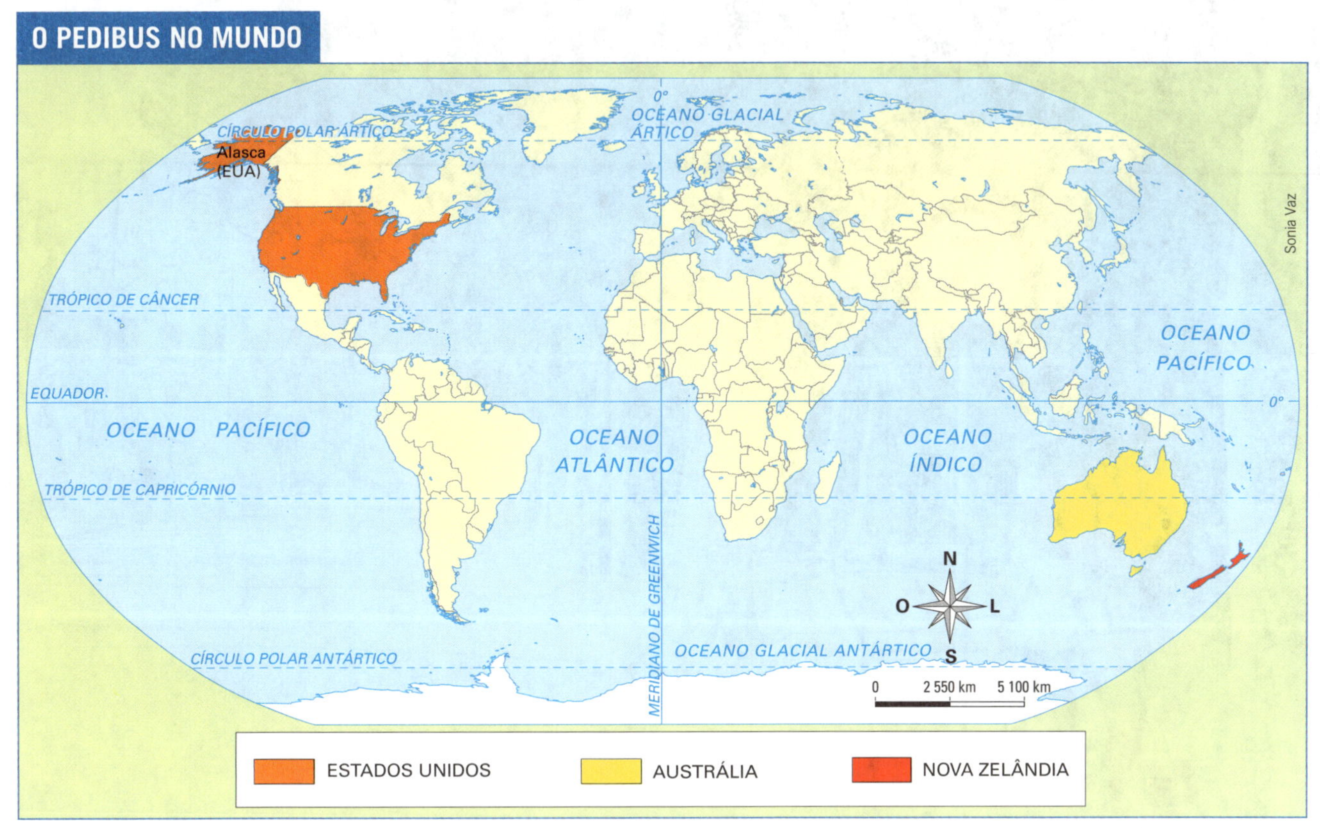

Fonte: *Atlas geográfico escolar*. 4. ed. Rio de Janeiro: IBGE, 2007. p. 34 e 43.

a) Circule no mapa o país onde o pedibus foi criado.

b) Na legenda do mapa, faça um **X** ao lado do nome do país citado na legenda da fotografia da página anterior.

8 Na sua opinião, no lugar onde você mora poderia ter o pedibus? Converse sobre isso com os colegas e o professor. Depois, escreva um pequeno texto sobre as conclusões do grupo.

Daniel Cymbalista/Pulsar Imagens

UNIDADE 7

As ruas

Ilustrações: Hagaquezart estúdio

Na fotografia 1, rua da cidade de Pomerode, no estado de Santa Catarina, em 2012. Na fotografia 2, rua da cidade de Petrópolis, no estado do Rio de Janeiro, em 2013.

Converse com os colegas e o professor sobre as questões.

1. Qual é a fotografia da rua de Camila? E a de Felipe?
2. Que sinalizações de trânsito e meios de transporte há nas ruas das fotografias?
3. A rua onde você mora se parece com a rua de Camila ou com a de Felipe? Comente as semelhanças entre a sua rua e a da fotografia.
4. Destaque as figuras dos **Adesivos** e cole cada uma delas nas fotografias, de acordo com as características de cada rua.

Capítulo 1

Diferentes ruas

Como é a rua onde sua escola está localizada? Qual o nome dela? Ela é movimentada ou tranquila? Tem casas e comércio? E árvores?

Observe duas ruas em diferentes lugares do Brasil.

Edson Sato/Pulsar Imagens

Avenida em Campo Grande, no estado de Mato Grosso do Sul, em 2012.

Ernesto Reghran/Pulsar Imagens

Rua na cidade de Una, no estado da Bahia, em 2013.

1. Cite uma diferença entre essas ruas. 

2. Pinte os quadros de acordo com as características de cada uma das ruas retratadas.

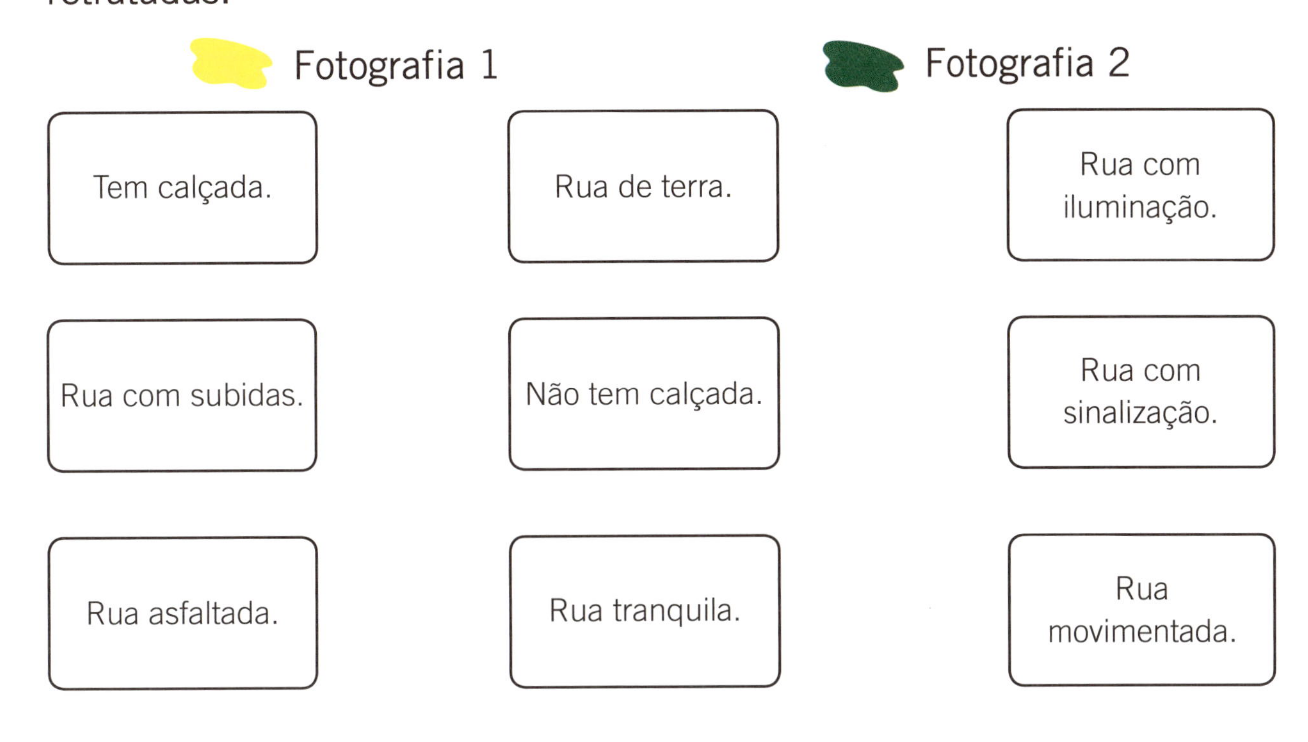

3. É importante que as ruas estejam em boas condições para que as pessoas e os veículos transitem com segurança. Na sua opinião, a rua da fotografia 2 precisa de melhorias? Se sim, quais?

____

____

____

4. Desenhe, em uma folha à parte, uma rua por onde você passa. Pode ser a rua onde está localizada a sua moradia ou a rua da escola, por exemplo. Depois, compare seu desenho com os dos colegas, observando as semelhanças e as diferenças entre as ruas.

5. Escreva no caderno o que você mudaria na rua que você desenhou. Depois, fale para os colegas e o professor.

Nome das ruas

Observe a fotografia e leia a legenda.

J. L. Bulcão/Pulsar Imagens

Vista da avenida Beira-Mar, na cidade de Fortaleza, no estado do Ceará, em 2011.

6. Qual o nome da avenida retratada na fotografia? 

7. Na sua opinião, por que a avenida recebeu esse nome? 

O nome de uma rua ou avenida pode estar relacionado com o lugar onde ela se encontra. A avenida Beira-Mar recebeu esse nome porque ela contorna uma área banhada pelo mar.

As ruas também recebem nomes de cidades, estados ou países, como rua Alagoas ou avenida Brasil, por exemplo.

Karlos Geromy/OIMP/D.A Press

Rua Portugal, no centro histórico da cidade de São Luís, no estado do Maranhão, em 2012.

Muitas vezes as ruas têm nomes de pessoas ou de datas importantes. Observe as fotografias e leia as legendas de cada uma.

Rubens Chaves/Pulsar Imagens

Placa de rua da cidade do Rio de Janeiro, no estado do Rio de Janeiro, em 2011. A rua Primeiro de Março tem esse nome porque nesse dia o Brasil e seus aliados ganharam uma importante batalha em uma guerra, em 1870.

Ana Druzian

Placas em esquina de duas ruas na cidade de São José do Rio Preto, no estado de São Paulo, em 2013. Essas ruas têm o nome de dois importantes escritores da língua portuguesa: o brasileiro José de Alencar (1829-1877) e o português Fernando Pessoa (1888-1935).

O nome de uma rua também pode estar relacionado com uma característica que ela tem ou teve no passado, como rua do Lago ou rua do Comércio, por exemplo.

Ladeira da Misericórdia, na cidade de Olinda, no estado de Pernambuco, em 2011. Recebeu esse nome porque, além de ser uma ladeira, na rua ficava um hospital chamado Santa Casa de Misericórdia do Brasil.

Paulo Paiva/Esp. DP/D.A Press

8. Pinte os trechos das legendas das fotografias que explicam a origem dos nomes das ruas. Use estas cores:

 Rua Primeiro de Março

 Rua José de Alencar

 Ladeira da Misericórdia

9. Você conhece a origem do nome da rua onde você mora?

a) Se você não souber, pergunte a algum adulto ou faça uma pesquisa em *sites* ou na prefeitura de seu município.

b) Escreva no caderno as informações que você pesquisou.

Capítulo 2

Ruas e quarteirões

Neste desenho, Isabela representou os arredores da casa dela.

BIS

No desenho, ela incluiu vários pontos de referência e quarteirões.

Os **quarteirões**, também chamados de **quadras**, são partes dos bairros delimitadas por ruas.

1. Na sua opinião, os nomes que Isabela usou para identificar as ruas no desenho são realmente esses? Por quê?

2. Contorne, no desenho, o quarteirão onde fica a casa de Isabela.

3. Circule os nomes usados por Isabela para indicar as ruas que formam o quarteirão da casa dela.

4. Assim como Isabela, desenhe no caderno os arredores de sua casa.

5. Observe a planta de parte de um bairro. Depois, responda às questões.

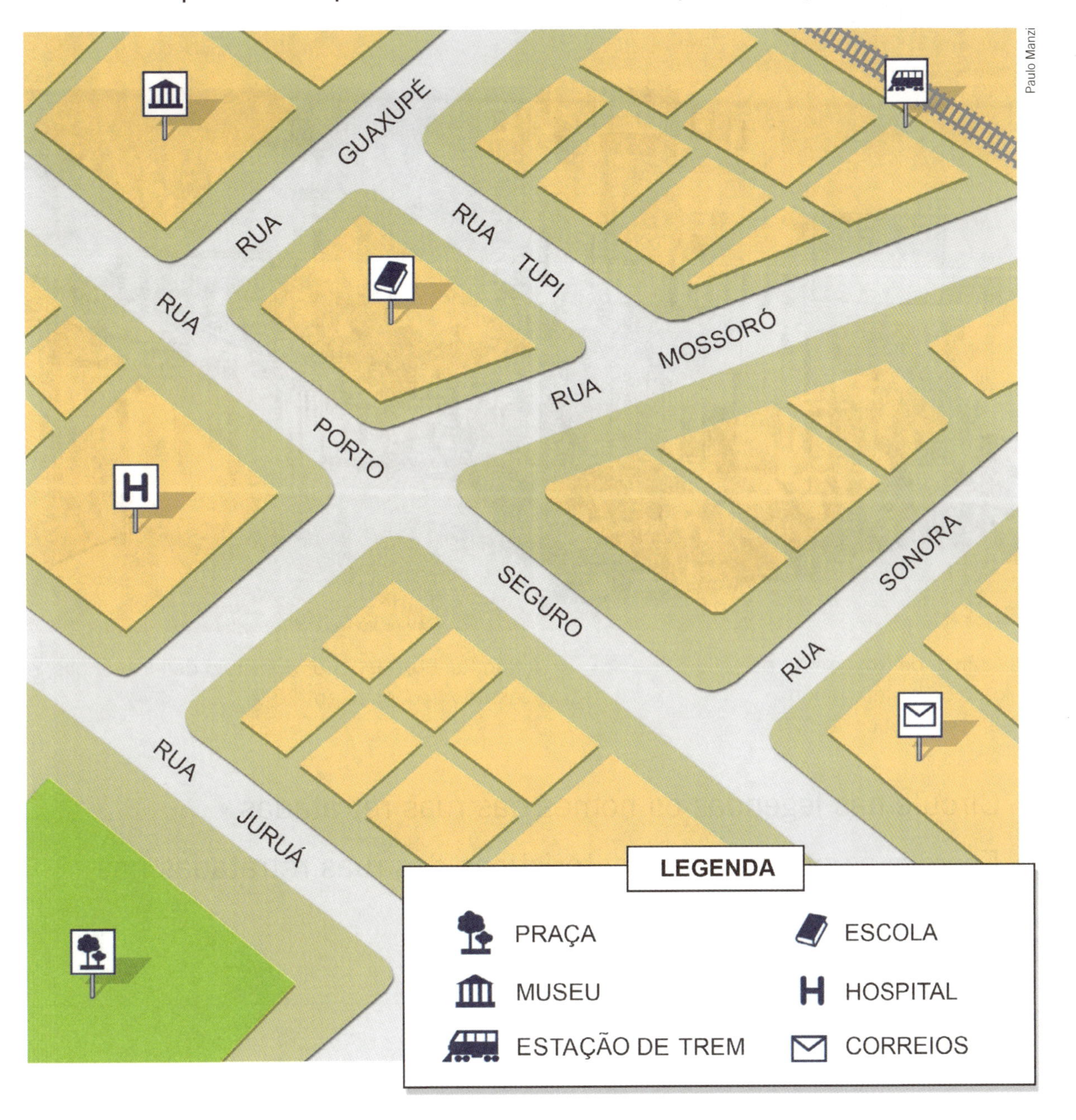

a) Que rua está entre o hospital e a praça?

____

b) Circule na planta os nomes das ruas que formam o quarteirão em que está a escola.

c) Trace um caminho entre a estação de trem e a praça, seguindo pelas ruas. Depois, fale os nomes das ruas do caminho percorrido.

Atividades

1. Observe as fotografias.

Delfim Martins/Pulsar Imagens

Avenida Quinze de Novembro, no município de Serra Talhada, no estado de Pernambuco, em 2010.

Thomaz Vita Neto/Tyba

Rua Rui Barbosa, no município de Pirenópolis, no estado de Goiás, em 2012.

a) Circule nas legendas os nomes das ruas retratadas.

b) Escreva as principais características das ruas retratadas nas fotografias.

____

____

c) O nome de uma rua pode estar relacionado ao lugar onde ela se encontra; a países, estados ou cidades; a datas e pessoas importantes; e a alguma característica que a rua tem ou teve. Os nomes das ruas retratadas se encaixam em qual dessas categorias?

- Fotografia 1: ______________________________
- Fotografia 2: ______________________________

2. Observe um recorte do mapa turístico da cidade do Recife, no estado de Pernambuco.

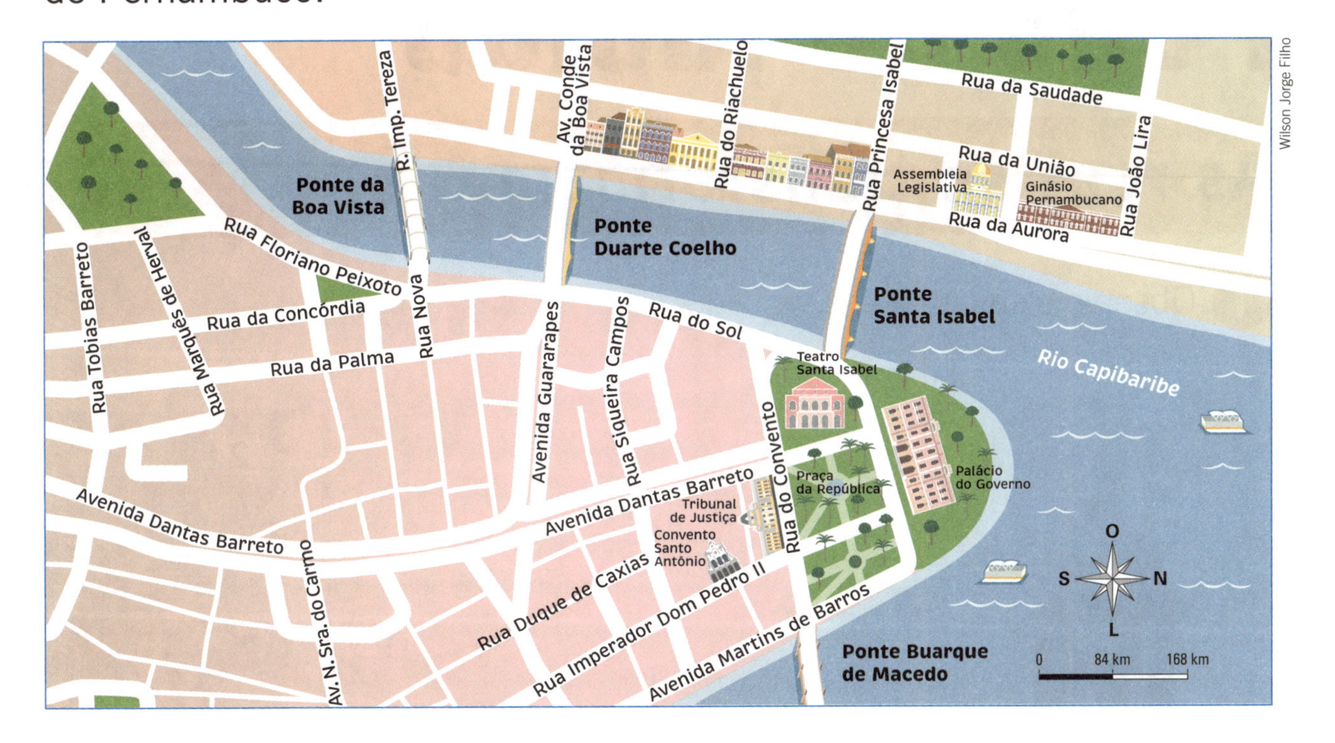

a) Circule, no mapa, os nomes das ruas que formam o quarteirão onde está localizado o Convento Santo Antônio.

b) Que rua tem o nome de uma princesa?

____

c) Faça uma pesquisa sobre o importante papel dessa princesa na história do Brasil. Registre no caderno o que descobriu.

Ampliando horizontes...

livros

História de ruas, de Maria Angela Resende, Saraiva.

O livro retrata uma cidade imaginária cujas ruas, praças, avenidas e alamedas não têm nomes reais: rua da Via-Láctea, rua do Caixa-Pregos, rua dos Tecelões, rua dos Inválidos, e tantas outras.

Essa rua é nossa!, de Beatriz Meirelles, Scipione.

As ruas foram feitas para todos, sem exceção. Por isso, é muito importante cuidar delas com responsabilidade e respeito.

rede de ideias

As ruas se transformam

1 Observe estas imagens.

1

Largo da Lapa (com chuva), de Gustavo Dall'Ara, 1910. Óleo sobre tela. Coleção particular, Rio de Janeiro, Brasil.

Gustavo Dall'Ara. *Largo da Lapa (com chuva)*, 1910. Coleção particular, Rio de Janeiro, Brasil.

2

2 Que local aparece nas imagens? Em que município ele está localizado?

____

____

3 Circule, nas legendas, a data em que foram produzidas as imagens.

Fotografia do Largo da Lapa, no município do Rio de Janeiro estado do Rio de Janeiro, em 2014.

Ismar Ingber/Pulsar Imagens

4 Qual o nome do artista que representou o local na imagem 1?

____

5 O que mudou no local representado, de acordo com as imagens?

____

____

6 Compare as duas imagens. Marque um **X** nas construções que permaneceram na imagem 2.

7 Perguntem a uma pessoa mais velha sobre uma rua, avenida ou praça antiga em seu município. Depois, escolham uma dessas localidades e providenciem fotografias ou imagens de obras de arte atuais e antigas em que ela seja mostrada. Observem as imagens e respondam às perguntas no caderno:

GRUPO

a) O que mudou e o que não mudou nesse local?

b) Na opinião de vocês, o que mudou no dia a dia das pessoas que frequentavam esse local?

QUAL É A PEGADA?

conservação

Um ambiente melhor depende de todos

Leia o que Fernanda acha da rua onde ela mora.

Thinkstock/Getty Images

Ilustrações: Biry Sarkis

1. Que problema ocorre na rua de Fernanda? 

2. Leia na página ao lado as legendas que explicam o caminho que pode ser percorrido pelo lixo jogado na rua de Fernanda. Destaque as figuras da página 3 do **Material Complementar** e cole cada uma delas ao lado da legenda correspondente. 

3. Converse com os colegas sobre outros problemas que podem ocorrer quando o lixo é jogado nas ruas.

Ilustrações: Biry Sarkis

O lixo é levado para as bocas de lobo pelas águas da chuva ou pelo vento. O lixo também pode contribuir para as inundações, pois ele se acumula nas bocas de lobo e impede a passagem das águas.

Depois, segue pelo mesmo caminho por onde escorre a água da chuva. Então, a água da chuva, junto com o lixo, deságua em córregos.

Os córregos deságuam em outros córregos ou em rios, que recebem água de outros lugares. O lixo que vai parar nos rios e oceanos polui a água e prejudica a vida dos animais que vivem nela.

4. Com a ajuda de um adulto, você vai pesquisar como está a limpeza de sua rua ou do entorno de sua casa. Para isso, faça o que se pede:

- Verifique se a rua é limpa; se há lixeiras; se a prefeitura mantém a limpeza da rua; se os moradores e as pessoas que andam pela rua contribuem para que ela se mantenha limpa.
- Registre suas descobertas no caderno.
- Converse com os colegas sobre o que as pessoas e a prefeitura podem fazer para manter as ruas limpas.

UNIDADE 8

Convivência e trabalho nas ruas

Maquete de parte de uma cidade.

Paulo Manzi

Converse com os colegas e o professor sobre as questões.

1. O que a maquete está representando?

2. Há pessoas trabalhando? O que elas estão fazendo?

3. Que outras atividades as pessoas estão fazendo?

Capítulo 1

A vizinhança

Ana e Pedro vão e voltam da escola sempre juntos. No caminho, eles encontram vários vizinhos. Observe.

Hagaquezart estúdio

1. Circule, nos balões de fala, os nomes dos vizinhos que Ana e Pedro encontram pelo caminho.

2. Observe o desenho que representa o lugar onde Ana e Pedro moram. Depois, faça o que se pede.

Hagaquezart estúdio

a) Trace o caminho que Ana e Pedro fizeram desde a banca de jornal até a casa de Carol.

b) Quem mora ao lado da banca de jornal? ____________________

c) Quem mora em frente à padaria? ____________________

d) Quem mora entre as casas de Pedro e Ana? ____________________

e) Quem mora mais próximo da padaria: Ana ou Pedro? ____________________

3. Assim como Ana e Pedro, você também encontra seus vizinhos? Quem você costuma encontrar? Onde?

4. No caderno, responda às questões sobre sua vizinhança. Se for preciso, peça ajuda a um adulto que mora com você.

a) Escreva o nome de um vizinho seu.

b) Qual é o nome do vizinho que você conhece há mais tempo?

c) Que vizinho você conhece há pouco tempo?

d) Você, ou alguém com quem você mora, já foi ajudado por algum vizinho? Em quê?

Capítulo 2

Trabalho nas ruas

Você já viu pessoas trabalhando na rua onde você mora ou na rua da sua escola? Que atividades essas pessoas estavam realizando?

Observe a obra de arte.

Helena Coelho. *Acrobacias por alguns trocados*, 2001. Óleo sobre tela. Coleção particular.

Acrobacias por alguns trocados, de Helena Coelho, 2001. Óleo sobre tela. Coleção particular.

1. Na obra de arte, há pessoas trabalhando nas ruas. Quais são elas?

2. Converse com os colegas e o professor sobre a importância do serviço dos profissionais que trabalham nas ruas. Imagine, por exemplo, como ficariam as ruas e o cotidiano das pessoas sem o trabalho desses profissionais. Registre no caderno algumas conclusões.

Vamos conhecer as principais atividades de alguns profissionais que trabalham na rua.

Fabio Colombini

Os coletores de lixo passam todos os dias pelas ruas para recolher o lixo. A fotografia retrata coletores no município de São Paulo, no estado de São Paulo, em 2012.

G. Evangelista/Opção Brasil Imagens

O carteiro entrega correspondências em moradias, lojas e empresas, entre outros lugares. Na fotografia, carteiro no município de Garibaldi, no estado do Rio Grande do Sul, em 2012.

Rogerio Reis/Tyba

Esse profissional cuida da manutenção da rede elétrica instalada nas ruas. Na fotografia, técnico de manutenção de rede elétrica no município de Serra Talhada, no estado de Pernambuco, em 2013.

Márcio Fernandes/AE

O agente de trânsito fiscaliza a circulação de veículos pelas ruas e orienta motoristas e pedestres. Na fotografia, uma agente de trânsito orientando o tráfego no município de São Paulo, no estado de São Paulo, em 2011.

Gente que faz!

Arredores da escola

Vocês farão um passeio pelos arredores da escola para conhecer melhor a paisagem e as pessoas que moram e trabalham no lugar.

Anotem as observações em uma folha à parte ou no caderno. Elas serão importantes para vocês preencherem a ficha de conclusão da atividade.

Sigam as etapas de trabalho.

Etapa 1: Observar a paisagem

- Observem a paisagem ao redor da escola. Vocês deverão:

1. Identificar os **elementos construídos pelas pessoas** presentes na paisagem, como ruas, praças, prédios e pontes, e verificar se eles estão bem-cuidados.
2. Identificar os **elementos naturais** presentes na paisagem, como árvores, rios e morros, e observar se eles estão preservados.

Edde Wagner

Etapa 2: Investigar a opinião da comunidade

- Com a ajuda do professor, selecionem duas pessoas que moram ou trabalham nos arredores da escola e perguntem a elas:

1. Há quanto tempo você mora ou trabalha nesse lugar?
2. Do que você mais gosta nesse lugar?
3. Do que você menos gosta?
4. O que falta e o que precisa melhorar nesse lugar?

Edde Wagner

Etapa 3: Elaborar a ficha de conclusão

- Organizem as informações coletadas em uma ficha de conclusão da atividade. Usem esta ficha como modelo.

Elementos da paisagem

- Quais são os elementos que foram construídos pelas pessoas?
- Eles estão bem-cuidados? Dê exemplos.
- Quais são os elementos naturais?
- Os elementos naturais estão preservados? Dê exemplos.

Respostas das pessoas entrevistadas

- Do que elas mais gostam no lugar.
- Do que elas menos gostam no lugar.
- O que falta no lugar e o que precisa mudar.

Atividades

1. Observe a fotografia e leia com atenção a legenda.

Zé Zuppani/Pulsar Imagens

As crianças da fotografia moram na comunidade caiçara Armação da Bahia, no Guarujá, no estado de São Paulo. Caiçara é como são chamados os moradores das regiões litorâneas. Em geral, vivem da pesca e do artesanato. Os caiçaras têm uma cultura própria, que pode ser vista, por exemplo, na dança e no artesanato. Fotografia de 2014.

a) Onde as crianças caiçaras moram? Pinte a resposta na legenda da fotografia.

b) Onde as crianças caiçaras estão brincando?

☐ na praça ☐ na praia

c) Você gosta de brincar em lugares como esse? Explique por quê.

___

___

2. Em uma folha à parte, desenhe a sua moradia e as dos seus vizinhos. Indique os lugares onde costuma brincar, como praça, casa dos amigos, entre outros.

- Mostre seu desenho para o professor e os colegas. Comente com eles quem são seus amigos no lugar onde você mora e por que você gosta de brincar nos lugares indicados no desenho.

3. Observe a ilustração e depois faça as atividades.

a) Em que lugar Maria Clara gosta de brincar com os amigos?

____

b) Que profissionais estão na praça?

____

c) Na sua opinião, por que esse é o local de brincar preferido de Maria Clara?

____

____

Ampliando horizontes...

livro

O trem da amizade, de Wolfgang Slawski, Brinque-Book.

Muitas crianças logo fazem amigos. Outras têm mais dificuldades em se relacionar. Artur era um destes. Todos os dias esperava na estação de trem que alguém viesse visitá-lo, mas nunca vinha ninguém. Até o dia em que ele resolveu procurar seus amigos em outras estações.

rede de ideias

Brincadeiras de rua

1 O texto trata das brincadeiras da infância do senhor Ricardo Dias, nascido em 1950, em São Paulo. Leia e responda às perguntas.

[...]

Ele jogava futebol, taco, bolas de gude, pião, andava de bicicleta e empinava pipa. Mas gostava mesmo era de brincar de chapa-branca.

"Talvez fosse uma brincadeira só da minha rua. Naquele tempo os veículos particulares tinham a chapa de cor amarela. Nos táxis, lotações e caminhões a placa era marrom."

Mas, afinal, que carro tinha a chapa branca? "Os veículos oficiais [do governo] e os do serviço público [por exemplo: ambulância, polícia etc.]. [...]"

O jogo era uma versão de duro ou mole. "Quando brincávamos na rua, se passasse um carro de chapa-branca e alguém gritasse 'chapa-branca!', toda a criançada tinha que ficar paralisada,

Estúdio Chanceler

na posição que estivesse, até que a pessoa que deu a ordem falasse 'Livre!'"

Ricardo diz que a graça da brincadeira estava em olhar as posições de cada um na hora do congelamento. "Hoje seríamos todos atropelados."

Fonte: *Mapa do brincar*. Disponível em: <http://mapadobrincar.folha.com.br/memorias/793-chapa-branca>. Acesso em: abril de 2013.

Estúdio Chanceler

a) Escreva os nomes das brincadeiras da infância do senhor Ricardo Dias.

____

____

b) Nos anos de 1950, as placas dos carros (chapas) diferenciavam-se pelas cores. Ligue a cor da placa (chapa) ao tipo de carro, de acordo com o texto.

Táxis, lotações e caminhões.

Veículos particulares.

Veículos oficiais e do serviço público.

c) As brincadeiras citadas no texto são conhecidas como brincadeiras de rua, por serem realizadas nas ruas. Converse com o professor e os colegas sobre como uma dessas brincadeiras é realizada. Depois, escreva sobre ela.

d) No texto, o senhor Ricardo Dias explica como era a brincadeira chapa-branca. Releia o que ele diz sobre essa brincadeira e faça um desenho sobre ela.

2 Observe as fotografias.

Arquivo/Folhapress

Rita Barreto

Rua Bela Cintra, na cidade de São Paulo, SP, em 1957.

Rua Bela Cintra em 2015.

a) Pinte a moldura da fotografia de São Paulo na época da infância do senhor Ricardo.

b) O que mudou na rua Bela Cintra?

____

____

____

____

____

3 E você, brinca nas ruas do lugar onde vive? É um lugar seguro para brincar?

____

____

____

4 Hoje em dia, nas grandes cidades principalmente, as brincadeiras de rua acontecem em outros espaços. Escreva o nome de alguns desses espaços.

____

____

____

____

____

5 O texto diz que a brincadeira chapa-branca era uma versão do **duro ou mole**. Você conhece essa brincadeira? Veja como é e brinque com os colegas.

Ilustrações: Biry Sarkis

Em um grupo, um participante é escolhido para ser o pegador. Os demais são os fugitivos.

Quem for pego fica "duro" (parado, sem se mexer). Os outros participantes do grupo devem escapar do pegador e amolecer (tocar) os participantes que estão "duros" (parados), para que eles possam voltar à brincadeira.

Quem for pego mais de três vezes é o novo pegador.

Mapa do brincar. Disponível em: <http://mapadobrincar.folha.com.br/brincadeiras/pegar/455-duro-ou-mole>. Acesso em: abril de 2013.

- O duro ou mole é uma brincadeira de pegar. Você conhece outras brincadeiras de pegar? Qual o nome dessa brincadeira e como se brinca? Conte para os colegas e boa brincadeira!

Angela Rama
Marcelo Moraes Paula

Material Complementar

UNIDADE 6 – CAPÍTULO 2 – PÁGINA 91

Ilustrações: Hagaquezart estúdio

UNIDADE 7 – QUAL É A PEGADA? – PÁGINA 112

Ilustrações: Biry Sarkis

Ficha de entrevista

- Nome do entrevistado: ______________________________

____

- Nome da escola: ______________________________

____

- Localização (bairro, município, estado, país): ______________________________

____

____

- Ano em que estudou nessa escola: ______________________________
- Do que mais gostava e do que menos gostava na escola:

____

____

____

____

UNIDADE 4 – ATIVIDADE 3 – PÁGINA 63

UNIDADE 4 – ATIVIDADE 3 – PÁGINA 63

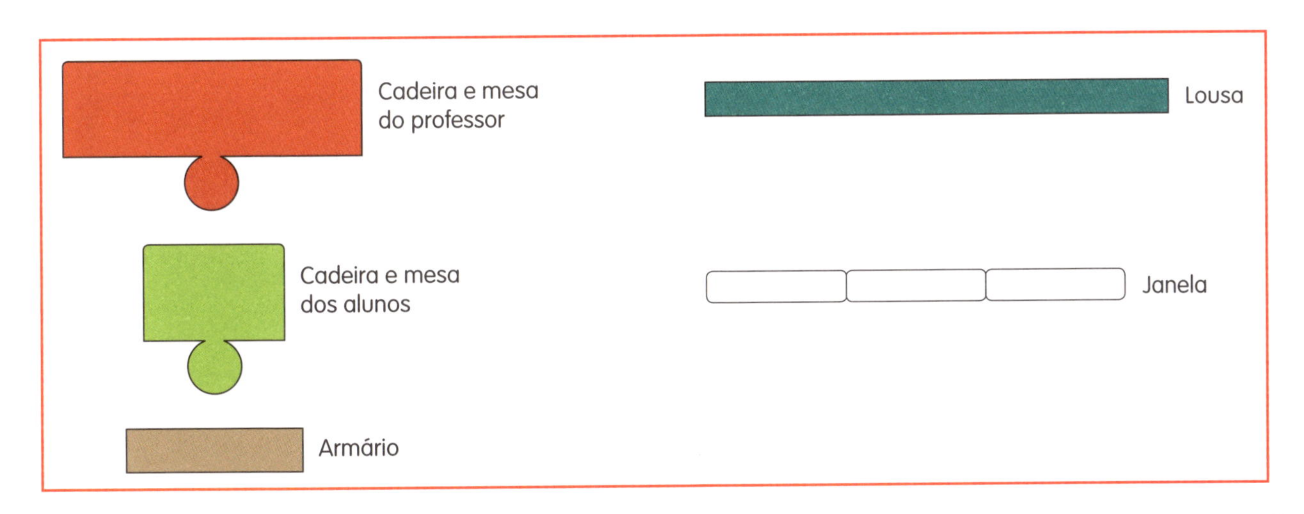

UNIDADE 3 – ATIVIDADE 4 – PÁGINA 47

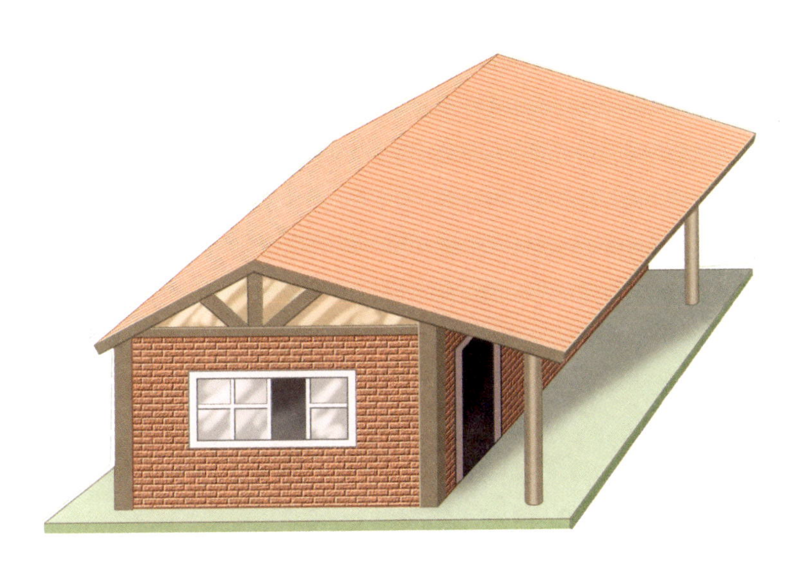

UNIDADE 3 – ATIVIDADE 4 – PÁGINA 47

UNIDADE 3 – ATIVIDADE 4 – PÁGINA 47

Adesivos

UNIDADE 7 – ABERTURA DE UNIDADE – PÁGINAS 100 E 101

UNIDADE 4 – ATIVIDADE 4 – PÁGINA 57

Fernando Favoretto/Criar Imagem

Fernando Favoretto/Criar Imagem

UNIDADE 3 – QUAL É A PEGADA? – PÁGINAS 50 E 51

O AQUECIMENTO DA ÁGUA É FEITO COM O CALOR DO SOL.

O ADUBO PARA HORTA É FEITO COM RESTOS DE COMIDA.

AS TELHAS SÃO FEITAS DE MATERIAL RECICLADO.

AS JANELAS SÃO AMPLAS PARA PERMITIR A ENTRADA DA LUZ DO SOL.

UNIDADE 1 – ATIVIDADE 1 – PÁGINA 20

Edde Wagner

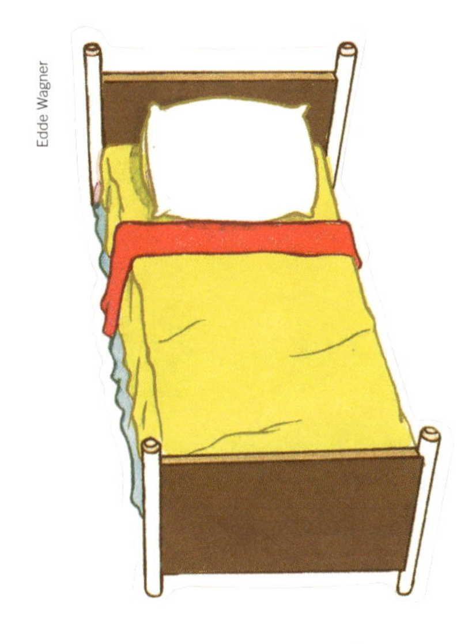

Edde Wagner